# Acaso e repetição em psicanálise

Luiz Alfredo Garcia-Roza

# Acaso e repetição em psicanálise

## uma introdução à teoria das pulsões

2ª edição

ZAHAR

*Para Pedro, Ingrid e Carla*


Jorge Zahar Editor Ltda.
rua Marquês de S. Vicente 99 – 1º | 22451-041 Rio de Janeiro, RJ
tel (21) 2529-4750 | fax (21) 2529-4787
editora@zahar.com.br | www.zahar.com.br



Grafia atualizada respeitando o novo
Acordo Ortográfico da Língua Portuguesa

1ª edição: 1986 (6 reimpressões)
2ª edição: 2014 (novo projeto gráfico)

Capa: Estúdio Insólito
Composição: Susan Johnson

CIP-Brasil. Catalogação na fonte
Sindicato Nacional dos Editores de Livros, RJ

Garcia-Roza, Luiz Alfredo, 1936-
G211a Acaso e repetição em psicanálise: uma introdução à teoria das pulsões /
2.ed. Luiz Alfredo Garcia-Roza. – 2.ed. – Rio de Janeiro: Zahar, 2014.

Inclui bibliografia
ISBN 978-85-378-0787-3

1. Psicanálise. 2. Teoria das pulsões. I. Título.

CDD: 616.8917
12-6131 CDU: 159.964.2

# Sumário

O que se segue é especulação, amiúde especulação forçada, que o leitor tomará em consideração ou porá de lado, de acordo com sua predileção individual. É mais uma tentativa de acompanhar uma ideia sistematicamente, só por curiosidade de ver até onde ela levará.

S. Freud, *Além do princípio de prazer*

# Prólogo

A psicanálise nos coloca, desde o início, no lugar da linguagem, e é por referência a este lugar que ela nos fala, mesmo quando está se referindo aos corpos e ao mundo dos objetos. Referida à linguagem, a pulsão ocupa uma região de silêncio. Situa-se num além. Refere-se ao corpo, mas não é corpo; está além da linguagem, mas a pressupõe. Conceito-limite, a pulsão nos ameaça com o silêncio teórico.

Freud nos diz que a teoria das pulsões é a sua mitologia, mas que as pulsões, enquanto entidades míticas, não podem ser desprezadas por um só momento. Entidade mítica, resistente ao olhar teórico mas ao mesmo tempo imprescindível: qual é o estatuto da pulsão no interior do discurso psicanalítico?

O que significa dizer que a pulsão é um conceito-limite? Tratar-se-á de um limite ontológico, como se a pulsão pertencesse a uma região de penumbra do ser, de tal modo que por ser apenas insinuada é também apenas nomeada? Quando Freud nos fala da inacessibilidade da pulsão, estaria ele se referindo a uma inacessibilidade metafísica, análoga à dos anjos e dos demônios, daí o recurso ao mito?

Seria ainda a pulsão o índice persistente de um irracionalismo em Freud? A teoria das pulsões, e particularmente o conceito de pulsão de morte, nos remete a um *além* que muito facilmente pode ser identificado ao misterioso e ao inefável. Não seriam as pulsões o lugar do acaso em psicanálise? Rompendo com a ordem natural, as pulsões não se constituiriam pelo puro acaso dos encontros? Não é isto que distingue a pulsão do instinto? E se a pulsão está no lugar do acaso, aquém da ordem e da lei, não estará ela relegada definitivamente ao silêncio teórico?

Mais do que qualquer outra coisa, a teoria das pulsões provoca a inteligência do leitor de Freud. Não são todos os que gostam de ser provocados nesse sentido; alguns preferem identificar a pulsão ao instinto e falar do "instintivismo freudiano".

Este trabalho não se propõe à tarefa de abarcar a teoria das pulsões em toda a sua extensão e em seus desdobramentos possíveis. Coloca algumas questões e propõe algumas respostas.

L.A.G.-R.

# 1. Sobre o conceito de pulsão

A pulsão desenha o horizonte do discurso psicanalítico. Situada aquém do inconsciente e do recalque, ela escapa à trama da linguagem e da representação, marcando o limite do discurso conceitual. Seu aparecimento nos textos freudianos se deu nos *Três ensaios sobre a teoria da sexualidade* (1905) e, embora nessa época seus contornos ainda não estivessem bem-delimitados, sua importância já se fazia sentir de forma ineludível. Numa nota de rodapé acrescentada em 1924, Freud nos diz que "a teoria das pulsões é a parte mais importante da teoria psicanalítica, embora, ao mesmo tempo, a menos completa".[1] Estranha declaração esta, segundo a qual a parte mais importante da teoria psicanalítica permanecia, vinte anos depois de formulada, a menos completa. A que seria devido essa incompletude insuperável?

Uma primeira tentativa de resposta poderia ser feita a partir mesmo do texto de 1905, quando Freud afirma que o conceito de pulsão é um dos que se situam na fronteira entre o psíquico e o físico.[2] Esta afirmação deu margem a uma série de interpretações, algumas extremamente ingênuas e outras extremamente bizarras. Seria a pulsão uma espécie de entidade mítica, habitante desse espaço inefável que se situa entre a *res cogitans* e a *res extensa* cartesianas? Assim o entenderam alguns expositores de Freud. Para estes, o estatuto metafísico da pulsão seria o responsável pelo inacabamento da teoria. Tal como os anjos ou os demônios, a pulsão seria inabordável pela ciência. Apesar de tocar num ponto importante da questão, essa interpretação comete um engano fundamental: em nenhum momento Freud se propõe a estabelecer o estatuto metafísico da pulsão; aquilo de que ele nos fala é do *conceito* de pulsão, isto é, de uma ficção teórica e não de uma entidade que possua realidade ontológica. Podemos concordar que este conceito tem como referente o corpo, mas isto não significa que designe uma parte do corpo ou que possa ser identificado a uma substância determinada que tenha escapado ao olhar investigador da ciência.

Outra interpretação é aquela que reduz a pulsão ao biológico. Esta, apesar de igualmente frágil, encontra apoio em dois pontos: o primeiro é a tradução feita por J. Strachey do termo alemão *Trieb* para o inglês *Instinct*; o segundo é um trecho do próprio Freud em *A pulsão e suas vicissitudes*, onde encontramos o seguinte: "Se agora nos dedicarmos a considerar a vida mental de um ponto de vista biológico, um 'instinto' (*Trieb*) nos aparecerá como sendo um conceito situado na fronteira entre o mental e o somático, como o representante psíquico dos estímulos que se originam dentro do organismo e alcançam a mente, como uma medida de exigência feita à mente no sentido de trabalhar em consequência de sua ligação com o corpo."[3] É significativo que os comentadores de Freud, ao se referirem a este texto, omitam a chamada de pé de página que Strachey introduz precisamente para atrair a atenção do leitor quanto à inadequação da identificação do *Trieb* freudiano com o instinto dos biólogos. Por outro lado, ler ao pé da letra a frase "do ponto de vista biológico" é recusar-se a ler a sequência do texto que desqualifica esse "biológico" inteiramente. Parece-me claro que "ponto de vista biológico", aqui, significa muito mais "ponto de vista do corpo" – como indica o final do parágrafo – do que "ponto de vista da biologia". Se a pulsão é um conceito situado na fronteira entre o mental e o somático, se ela tem sua fonte no corpo e seu objeto no registro psíquico, podemos falar dela "do ponto de vista do corpo" como podemos fazê-lo "do ponto de vista psíquico". E para os adeptos das simplificações, é bom advertir que o corpo não é biológico, isto é, que ele não é propriedade exclusiva da biologia. "Corpo biológico" é um produto da biologia e não a essência do corpo. A menos que se confunda biologia com metafísica.

Logo na primeira página do mesmo artigo – *A pulsão e suas vicissitudes* – Freud nos adverte que o conceito de pulsão é um *Grundbegriff*, isto é, um conceito fundamental. Claro que o "fundamental" aqui se refere à teoria psicanalítica e não à biologia. Seria uma ingenuidade pensarmos que um conceito teórico pudesse pertencer a duas ciências distintas e ainda por cima manter-se como fundamental. Um *termo*, ou mesmo uma noção, pode pertencer a dois espaços do saber distintos, mas um *conceito teórico* só se define por referência a um campo teórico específico. Assim, o termo *Trieb* tem uma longa história, mas o conceito psicanalítico de *Trieb* é exclusivo de Freud. A verdade, porém, é que é mais fácil biologizar um conceito psicanalítico do que procurar entender sua especificidade irredutível.

Outro texto que se tornou alvo desse biologismo foi *Três ensaios sobre a teoria da sexualidade*. No entanto, o que ele no revela é o propósito sistemático de Freud em desqualificar a identificação da pulsão com o instinto ou, em termos mais amplos, em desqualificar sua assimilação ao biológico. Quando ele expõe, no primeiro dos três ensaios, o tema das aberrações sexuais tal como era tratado pela medicina da época, não o faz no sentido de adotar a mesma postura teórica e de endossar os pontos de vista de Kraft-Ebing, Moll, Havelock Ellis e outros mais, e sim no sentido de ir paulatinamente marcando a diferença que o caracteriza do ponto de vista psicanalítico. Freud expõe o ponto de vista da ciência da época sobre a sexualidade não para utilizá-lo como ponto de partida teórico, mas para proceder a uma gentil desmontagem que o desqualifica para a psicanálise. Para além da questão das chamadas aberrações sexuais, Freud insiste no fato de que a sexualidade humana é, em si mesma, aberrante: aberrante em relação à função biológica da reprodução. O que a pulsão sexual visa não é à reprodução, mas à satisfação. O mínimo que podemos dizer da sexualidade humana é que ela não é natural, mas que se encontra necessariamente submetida ao simbólico. É do corpo submetido ao simbólico que Freud nos fala e não do corpo enquanto "natural" ou biológico. Voltarei a esta questão mais adiante.

A pulsão não é um "dado" da realidade e nem um conceito já pronto, disponível na ciência da época, e do qual Freud lança mão. O que é, então, a pulsão?

Em primeiro lugar, e aceitando a indicação do próprio Freud, devemos considerá-la como uma *ficção*. A pulsão não é uma descoberta freudiana, mas uma produção teórica de Freud. Portanto, no sentido mais estrito da palavra, ela é uma *invenção*. Tal como os conceitos das demais ciências, o termo "pulsão" não designa uma realidade existente, mas um modo de falar de existentes; ele aponta para um conjunto de outros conceitos que formam a teoria psicanalítica. No entanto, não é um conceito como os demais, é portador de uma opacidade que lhe é essencial; ele recusa a si mesmo a transparência pretendida pelos conceitos das demais ciências e pela maioria dos conceitos da própria teoria psicanalítica. Assim como aponta para a teoria, ele aponta também para algo que se furta ao olhar conceitual. É por metáforas que falamos da pulsão.

Mas também não é da pulsão em geral que Freud nos fala inicialmente, e sim da pulsão sexual em particular. Esta, nos diz ele, não é uma coisa simples, mas algo que resulta da reunião de pulsões parciais,[4] sendo que, na fase inicial do desenvolvimento do indivíduo, a própria distinção entre *pulsões sexuais* e *pulsões de autoconservação* não pode ser feita. A diferenciação entre elas só vai acontecer após um investimento objetal.[5] É, porém, em relação a sua fonte (*Quelle*) e ao seu objetivo (*Ziel*) que a pulsão parcial se define inicialmente. Freud nos diz que essa fonte é de natureza somática, o que aparentemente coloca em risco a autonomia do conceito de pulsão em relação ao conceito de instinto, sobretudo quando ele nos afirma que originalmente a *sexuallibido* e a *Ich-Triebe* se encontram misturadas. No entanto, sabemos da ambiguidade de que se reveste a noção de fonte da pulsão para Freud: ora ele nos fala de fontes exclusivamente internas, ora coloca lado a lado fontes internas e externas (isto se dá, pelo menos, nos *Três ensaios*). É somente a partir do seu artigo de 1915 (*A pulsão e suas vicissitudes*) que ele vai afirmar que as pulsões têm sua origem numa fonte puramente somática, entendendo-se por "fonte somática" o órgão de onde provém a excitação, assim como o próprio processo de excitação. É a fonte (*Quelle*), juntamente com o objetivo (*Ziel*), que confere à pulsão parcial sua especificidade. Em se tratando da pulsão sexual, Freud denomina essa fonte de *zona erógena*. E esta é mais uma das armadilhas desse difícil texto. A ênfase concedida à boca e ao ânus como zonas erógenas nos conduz novamente à hipótese de uma determinação biológico-anatômica para as pulsões. No entanto, em nota de rodapé acrescentada em 1915, Freud nos diz que após refletir mais foi levado a atribuir a qualidade de erogeneidade a todas as partes do corpo e a todos os órgãos internos,[6] o que significa que nenhum órgão em particular, assim como nenhuma parte específica da superfície corporal, detém a exclusividade do que é sexual. Se qualquer parte do corpo pode ser uma zona erógena, é sinal de que nenhuma parte é considerada como essencialmente sexual.

Permanece, porém, o fato de que ele não somente concede um valor maior a certas zonas do corpo (às regiões mucosas, sobretudo), como faz da experiência de satisfação do lactente o protótipo da experiência de satisfação sexual. No famoso capítulo VII de *A interpretação de sonhos*, Freud nos mostra um comportamento instintivo servindo de fonte para a pulsão: o instinto de alimentação fornecendo a base da experiência de prazer-desprazer no lactente. Por esse texto, já fica claro que a fonte da pulsão é corporal. Essa mesma experiência de satisfação (*Befriedigungserlebnis*) é utilizada por Freud mais tarde,[7] ao falar do autoerotismo, para indicar a origem somática e mesmo instintiva da pulsão. No entanto, essa articulação da pulsão ao instinto, tal como ele nos apresenta, assinala muito mais uma distância e uma diferença do que uma identidade.

A relação da pulsão (*Trieb*) com o instinto (*Instinkt*) é descrita por Freud através do termo *Anlehnung* (apoio). A pulsão se *apoia* no instinto não para se confundir com ele, mas para se desviar dele. A pulsão é fundamentalmente uma perversão do instinto. Essa perversão se dá por uma desnaturalização deste último, na medida em que ela se desvia de seu objetivo natural, que é a autoconservação. A pulsão não tem por finalidade manter a vida (no sentido biológico do termo); sua finalidade não é natural. Isto não quer dizer que a pulsão nada tenha a ver com o biológico, e sim que o biológico sofre nela e por ela uma transformação radical, que a pulsão não se totaliza, que ela, enquanto pulsão sexual, é sempre parcial. Além do mais, devemos ter em mente que Freud nunca pretendeu identificar a pulsão com sua fonte instintiva. A pulsão, nos diz ele, é o representante no psiquismo de um estímulo que ocorre num órgão ou parte do corpo.[8] Assim, ao mesmo tempo em que a pulsão representa o corpo no psiquismo, ela só se faz presente neste último através de seus representantes psíquicos: a ideia (*Vorstellung*) e o afeto (*Affekt*).

Retornando à nossa questão, se de um lado temos a fonte da pulsão, no extremo oposto temos o objetivo. O objetivo da pulsão, escreve Freud, é sempre a *satisfação*.[9] E como a pulsão se satisfaz? Responde ele que é pela eliminação do estado de estimulação na fonte. Sabemos, no entanto, que desde o começo a pulsão sexual é inibida quanto ao seu objetivo, isto é, desviada de seus fins explicitamente sexuais e dirigida para objetos que não apresentam nenhuma relação aparente com o sexual. Mesmo quando permanece alguma marca de sua origem sexual, podemos afirmar que houve um desvio de objetivo e uma substituição de objeto. Essa inibição quanto ao objetivo é a característica central do mecanismo ao qual Freud chamou de *sublimação*.

Dentre os vários sentidos que o termo "sublimação" tomou em nossa língua (e o mesmo aconteceu na língua alemã), três são particularmente significativos: Sublimar = 1) Erguer à maior altura, ou a uma grande altura; 2) Elevar à maior perfeição, purificar; 3) Fazer passar (um corpo) diretamente do estado sólido ao gasoso.[10] Nos três está presente a ideia de descorporificação, de desrealização. É enquanto desrealizada, enquanto ideia (*Vorstellung*), que a pulsão se faz presente no psiquismo, sendo que sua satisfação se faz de forma fantasmática. Isso nos conduz a entender a frase de Freud segundo a qual o objeto é o que há de mais variável na pulsão, como uma declaração quanto à impossibilidade de a satisfação ser atingida. Como a pulsão é inibida quanto ao seu objetivo, o que a obriga a uma mudança de objeto, a satisfação é impossível. Isto, porém, só é verdade em parte. O sentido mais forte da afirmação de Freud não está na impossibilidade de a pulsão ser satisfeita, mas nas mil e uma maneiras de ela ser satisfeita. A cultura não é um resíduo inútil da pulsão, mas a multiplicação de suas possibilidades de satisfação.

A suposição de Freud é de que a pulsão procura uma satisfação que já foi obtida um dia, na nossa pré-história individual, antes do interdito que nos tornou humanos. A partir de então, foi inibida quanto ao seu objetivo e obrigada a um caminho de aventuras que Freud chamou de *Triebschicksale* – as vicissitudes da pulsão. Pela ameaça que trazia consigo, foi proibida de se apresentar diretamente aos olhos assustados do humano. Portadora do gozo e da morte, viu-se forçada a fazer-se representar pelos seus representantes para poder ter acesso ao mundo da subjetividade.

A *Vorstellung* e o afeto são seus delegados, e é sobre eles que a psicanálise nos fala. À pulsão em si mesma, fica reservado o lugar do silêncio. Isso, porém, não significa que tenha sido suprimida, mas que, tal como os dragões mitológicos, foi condenada a viver reclusa numa caverna à entrada da qual ouvimos apenas os seus rugidos e sentimos o cheiro de enxofre que exala de suas narinas. Cada um de nós vive a ameaça da virgem que lhe tem de ser oferecida em sacrifício.

O que fica claro a partir da primeira exposição que Freud nos faz sobre a pulsão é que ela é entendida como um desvio do instinto. A noção de *apoio* (*Anlehnung*) é o referencial privilegiado para esta concepção, o que levou Laplanche a estabelecer uma analogia entre a *Anlehnung* freudiana e o *clinamen* da física epicureia.

Se a pulsão é entendida por Freud como um desvio do instinto, ela é um desvio da ordem e, portanto, só poderá ser concebida como acaso se este for considerado acaso-constituído (secundário) e não como acaso original. A pulsão-desvio-do-instinto seria, quando muito, um acidente e não acaso original. Portanto, se considerarmos a noção de apoio como definitiva em Freud, a possibilidade de falarmos em acaso em psicanálise teria que ser descartada. Mas se não quisermos nos descartar tão rapidamente da ideia, poderíamos supor ainda dois caminhos possíveis: O primeiro deles seria admitirmos, em Freud, não uma, mas duas (ou mais) teorias das pulsões; uma delas correspondendo ao período que vai de *A interpretação de sonhos* até os *Escritos da metapsicologia* (na qual a pulsão seria pensada em termos de apoio-desvio), e outra correspondendo ao período compreendido pela segunda tópica, no qual a noção de apoio é abandonada ou pelo menos não é mais tomada como referência. O segundo caminho consistiria em mantermos a noção de apoio-desvio, mas invertendo o seu sentido. É preciso lembrar aqui que o *clinamen* ao qual Laplanche se refere é o de Epicuro, e não o de Lucrécio. Assim, do ponto de vista deste último, não seria a pulsão um desvio do instinto, mas este é que seria um desvio da pulsão. Este segundo caminho nos impõe uma especulação forçada, como disse Freud, mas a título de exercício podemos empreendê-la.

Admitamos que o ser vivo, em suas formas iniciais, embora organizado, não apresentasse padrões fixos de conduta (que seriam os instintos), mas que aquilo a que chamamos de vida consistisse num impulso anárquico produtor de encontros ao acaso. Desses encontros resultariam formas complexas, algumas eficazes (no sentido de serem autoconservadoras) e outras ineficazes. A manutenção das primeiras seria responsável pela produção de uma "natureza" e pela fixação de um padrão de comportamento. Este seria o instinto (*Instinkt*). Se aceitarmos esta hipótese, teremos o instinto não como uma ordem essencial e originária, mas como a "fixação" de certas articulações do organismo com o meio. Utilizando um termo retirado de Leibniz, diríamos que permaneceriam as articulações mais *compossíveis*, sem que isto implicasse nenhuma determinação essencial desta compossibilidade. Ora, neste caso, o instinto é que teria que ser considerado como "apoiado" na pulsão, e não o contrário. Aquilo a que chamamos de "natureza" nada mais seria do que a fixação de determinadas combinações pulsionais, e o instinto seria, neste caso, a manifestação dessa "natureza"; seria mantenedor da "mesmidade", e não produtor de diferenças. Assim, a pulsão de que nos fala Freud seria a emergência desse caos original, dessa força não domada e que persiste como fundo não ordenado de todo ser vivo. A pulsão seria, pois, a reafirmação constante do acaso. Esta concepção, além de manter o caráter original da pulsão entendida como acaso, possibilita pensar o conceito freudiano de pulsão de morte. De fato, toda pulsão é pulsão de morte, já que ela não tem por objetivo a autoconservação, a repetição do "mesmo", mas é sobretudo expansão, produção de diferenças, puro lugar da dispersão. O instinto seria reativo, enquanto que a pulsão seria atividade pura.

Lamentavelmente, a ideia não é boa. A suposição inicial de um ser vivo, e portanto organizado, cujo comportamento seja inteiramente anárquico, traz consigo dificuldades que me parecem insuperáveis. Poderíamos lançar mão de especulações feitas por pensadores mais experimentados nesses voos cosmogônicos, tais como Leucipo, Demócrito, Epicuro ou Lucrécio, mas, apesar desse recurso, a hipótese de um acaso original, acaso absoluto, permanece esbarrando em grandes dificuldades.

A verdade é que, a partir do texto de 1920, Freud não se mostra mais preocupado em definir a pulsão em termos de apoio-desvio. Pelo menos em relação à pulsão de morte, a noção de *étayage* não é aplicável; e quanto à pulsão sexual, parece-me que ela terá que ser repensada ou, pelo menos, reavaliada. A hipótese da pulsão de morte como sendo essencialmente conservadora é tributária de uma visão do mundo que Freud nos oferece em *Além do princípio de prazer*, e que é consistente na medida em que aceitamos a existência de uma ordem original, algo semelhante à *physis* dos pré-socráticos.

A ideia de que o mundo na sua totalidade possui uma ordem essencial é religiosa por excelência e sempre agradou à filosofia e à ciência, e ao que parece agradava também a Freud. O pressuposto dessa ordem universal é fundamental para a sua teoria, mas enquanto ela é perfeitamente adequada à noção de instinto (*Instinkt*), sua conciliação com a teoria das pulsões apresenta alguns problemas. O nirvana freudiano não é humano, não é sequer vital, já que a própria vida é vista como perturbação, como "rompedora da paz"; o estado de perfeito equilíbrio seria encontrado apenas no mundo inorgânico, antes de a vida ter feito sua emergência. Uma vez tendo se produzido esse desvio – a vida –, seu destino natural não poderia ser outro senão o retorno ao inanimado. Para Freud, a idade do ouro não pertence aos deuses, mas à matéria.

Poderíamos argumentar que toda essa questão é inócua ou pelo menos bizarra, já que a psicanálise não se propõe como uma teoria sobre a origem da vida, mas como uma teoria do inconsciente psíquico. No entanto, a partir do momento em que nos damos conta do conceito de pulsão, da oposição entre pulsão de vida e pulsão de morte, da noção de compulsão à repetição e de outras mais que ganham relevo com base na segunda tópica, e quando sabemos ainda pelo próprio Freud que essas noções são consideradas como fundamentais, então não podemos fugir à questão.

Creio que por enquanto podemos manter as duas afirmações básicas referentes à pulsão: 1) Que pulsão não é instinto; 2) Que as pulsões são anárquicas. Quanto à primeira delas, em que pese a leitura que alguns psicanalistas fazem da *Standard Edition* e o fato de tomarem a tradução de James Strachey à letra, parece-me que restam poucas dúvidas. A questão principal não me parece a de se saber se a pulsão é ou não instinto, mas se é ou não um *desvio* do instinto. Aceito de bom grado que as indicações fornecidas inicialmente por Freud nos levaram a considerá-la como desvio (apoio-desvio, segundo Laplanchel), mas não estou certo se ele manteve este ponto de vista até o fim. Quanto à segunda afirmação, embora não concorde em que ela seja aplicada indistintamente à pulsão de morte e à pulsão sexual, pretendo defendê-la.

## 2. Pulsão e repetição

Em seus começos vienenses, a prática terapêutica freudiana consistia em fornecer meios ao paciente para que pudesse recordar um determinado fato infantil que teria sido traumático, a fim de provocar a ab-reação do afeto a ele ligado. Era o momento da catarse, e a recordação visava preencher lacunas da memória. Essa prática era uma das muitas reatualizações modernas da teoria platônica da reminiscência, segundo a qual somos portadores de uma verdade esquecida; se bem que a rememoração (*Erinnern*) em Freud não deva ser identificada à reminiscência platônica. Enquanto esta última se refere a uma forma, um *eidos* habitante do mundo das Ideias, a rememoração freudiana permanece prisioneira desse mundo fantasmático e minúsculo que Freud nos revela em *A interpretação de sonhos*. O que pretendo ressaltar aqui é esse fato de sermos portadores de uma verdade que não se oferece docilmente à memória. Para Freud, o que o esquecimento ocultava era a verdade da doença, daí o recurso inicial à hipnose como forma de se chegar ao acontecimento traumático esquecido. A hipnose era a técnica empregada para romper o bloqueio da memória, e mesmo depois de sua substituição pelo método da associação livre, o objetivo visado era ainda a reminiscência. No entanto, por ocasião do tratamento da jovem Dora, na época em que saía publicada *A interpretação de sonhos*, Freud se defrontou com um fato novo que desempenhou um papel decisivo no futuro da teoria e da técnica psicanalíticas: a *repetição* (*Wiederholen*). Enquanto estava preocupado com a recordação dos acontecimentos passados do paciente, este desenvolvia um outro mecanismo, não tão evidente, mas igualmente importante, de cujo significado e alcance Freud sequer suspeitava: "O paciente não *recorda* coisa alguma do que esqueceu e recalcou, mas expressa-o pela atuação ou *atua-o* (*acts it out*). Ele o reproduz não como lembrança, mas como ação; *repete-o* sem, naturalmente, saber que o está repetindo."[1] A importância desse fato ficou patente para Freud, quando sua paciente o abandona três meses depois de iniciado o tratamento, *repetindo* com ele uma situação que havia vivido anteriormente com Herr K.[2]

A partir de então, Freud desdobra a sua escuta e tem a atenção voltada para esse novo mecanismo que passa a ser o referencial privilegiado da prática clínica. "Logo percebemos", escreve Freud, "que a transferência é, ela própria, apenas um fragmento da repetição e que a repetição é uma transferência do passado esquecido (...)."[3] Ora, se admitirmos que a transferência é o processo que funda a relação analítica, e se ela é um caso particular da repetição, podemos concluir que o tratamento psicanalítico só tem início quando o paciente produz uma repetição desse tipo com o analista. Evidentemente, essa repetição não se dá de forma consciente, pois, se isto ocorresse, ela perderia sua eficácia como mecanismo defensivo. Assim, se a repetição é o que impede a reminiscência, ela é, ao mesmo tempo, o sinal irrecusável do conflito psíquico; se por um lado é uma forma de resistência, por outro é o mais poderoso dos instrumentos terapêuticos.[4]

Lacan observa que a afirmação segundo a qual a transferência é uma repetição tornou-se lugar-comum, e que embora a repetição esteja presente na transferência, e que foi a propósito desta última que Freud abordou o tema da repetição, "o conceito de repetição nada tem a ver com o de transferência".[5] Isto significa que se na transferência dá-se uma repetição de protótipos infantis, essa repetição não é uma reprodução de situações reais vividas pelo paciente, mas *equivalentes simbólicos do desejo inconsciente*.[6] O que se repete, faz-se num ato que só toma sentido em relação ao analista, o que implicaria, pelo menos, que fizéssemos uma distinção entre "repetição do mesmo" e "repetição diferencial". Se transferência é repetição, ela é uma repetição diferencial, e somente sob este aspecto a repetição toma um sentido positivo e pode constituir-se como um instrumento no sentido da cura.

A questão da repetição volta a ser abordada por Freud, em 1912, no artigo *A dinâmica da transferência*,[7] mas é somente em 1914, em *Recordar, repetir* e *elaborar*,[8] que a distinção entre recordação e repetição é tratada de forma mais ampla. A transferência é aqui considerada como um "fragmento da repetição". O que se repete são protótipos infantis, de tal forma que o analista, ao ser capturado nestas repetições, toma o lugar da imago paterna ou materna, dando lugar à transferência. Essa compulsão a repetir padrões arcaicos substitui a recordação, o que faz com que Freud identifique a repetição como uma resistência: "Quanto maior a resistência, mais extensivamente a atuação (*acting out*) (repetição) substituirá o recordar, pois o recordar ideal do que foi esquecido, que ocorre na hipnose, corresponde a um estado no qual a resistência foi posta de lado.[9] Encarada dessa forma, a transferência é um substituto da recordação (que seria o exigido terapeuticamente) e, portanto, uma resistência a esta última e à verbalização. Atuar (repetir) é não atender à exigência da associação livre.[10]

Mas se a repetição é aquilo que opera como resistência, "nas mãos do médico, transforma-se no mais poderoso instrumento terapêutico e desempenha um papel que dificilmente se pode superestimar na dinâmica do processo de cura".[11] Repetição enquanto resistência e repetição enquanto produtora de cura: como entender essa aparente contradição? O que fica claro nesses textos é que pode haver dois tipos de repetição: a repetição do "mesmo" e a repetição diferencial; enquanto a primeira se aproxima da reprodução (na medida em que é estereotipada), a segunda é produtora de novidade e, portanto, fonte de transformações.

A distinção entre duas formas de repetição não chega a constituir uma novidade. Na *Fenomenologia do Espírito*, Hegel propõe que a própria fenomenologia seja uma repetição. Esta é entendida como releitura implicando dois momentos: no primeiro, há a consciência do fenômeno, uma pura vivência; no segundo, o fenômeno é incluído na totalidade do Espírito (*Geist*) que lhe confere sentido. É, portanto, a Totalidade o que confere verdade plena ao fenômeno; sem ela, ele permanece incompleto enquanto sentido. Pouco tempo depois, Kierkegaard confere novo sentido à releitura fenomenológica de Hegel, distinguindo a repetição numérica (repetição do mesmo) da repetição como reapreensão (repetição diferencial). A diferença entre as concepções de Hegel e Kierkegaard sobre a repetição reside principalmente no fato de que para Kierkegaard a repetição não admite totalização.[12]

No artigo *O estranho* (*Das Unheimlich*), publicado em 1919, Freud retoma o tema da repetição. *Unheimlich* relaciona-se com o que é assustador, com o que provoca medo e horror: "O estranho é aquela categoria do assustador que remete ao que é conhecido, de velho, e há muito familiar."[13] O que caracteriza o estranho é, pois, essa proximidade e essa familiaridade aliadas ao oculto. Mas o absolutamente novo, o que jamais se deu na experiência, não pode ser temido. Só há *Unheimlich* se houver repetição. O estranho é algo que retorna, algo que se repete, mas que ao mesmo tempo se apresenta como diferente. O *Unheimlich* é uma repetição diferencial e não uma repetição do mesmo. Freud refere essa repetição à própria natureza das pulsões, "uma compulsão poderosa o bastante para prevalecer sobre o princípio de prazer".[14]

Finalmente, em *Além do princípio de prazer* (1920), o tema da repetição passa definitivamente para o primeiro plano da teoria. É a repetição que vai servir de fundamento para a explicação da pulsão de morte, "algo mais primitivo, mais elementar e mais pulsional que o princípio de prazer" e que se expressa pela compulsão à repetição. A repetição é a característica própria da pulsão. Aqui, Freud não pode evitar a hipótese, considerada por ele mesmo como especulativa, segundo a qual a pulsão é um impulso inerente à vida orgânica no sentido de restaurar um estado anterior de coisas, isto é, no sentido de retornar ao estado inorgânico.[15] Assim, contrariamente à concepção inicial da pulsão como sendo uma força que impele o organismo no sentido da mudança, no sentido da produção de diferenças, somos forçados, com Freud, a afirmar o caráter conservador da pulsão: resistência à mudança e repetição do mesmo. O que ela repete é, pois, o mais arcaico, o estado inicial do qual o organismo se afastou por exigência de fatores externos: o inorgânico. "Seremos então compelidos a dizer que o objetivo de toda a vida é a morte",[16] escreve Freud. Se a vida é entendida como perturbação de um equilíbrio estável a que se reduzia a matéria inanimada, nada mais natural do que admitir essa tendência no sentido de recobrar o equilíbrio perdido. Dentro desse quadro, a pulsão de vida teria como objetivo o cumprimento desse caminho natural para a morte. O objetivo da pulsão de vida não é evitar que a morte ocorra, mas evitar que ela ocorra de forma não natural. "O que nos resta", escreve ele, "é o fato de que o organismo deseja morrer apenas do seu próprio modo."[17]

Nesse texto de 1920, Freud, ao falar da compulsão à repetição, faz questão de enfatizar que a repetição à qual ele se refere é a repetição do mesmo, do idêntico, e que ela apresenta em alto grau um caráter pulsional (*Triebhaft*). Essa repetição, em se tratando de crianças, não contradiz o princípio de prazer, mesmo quando se trata da repetição de experiências desagradáveis. No caso de experiências agradáveis, como a de uma bela história que contamos, a criança exige que, ao contarmos pela segunda, terceira e enésima vez, o façamos de forma idêntica à primeira. Qualquer modificação introduzida, mesmo no sentido de melhorar a narrativa, é veementemente corrigida pelo pequeno ouvinte. No caso de experiências desagradáveis, como nas brincadeiras repetidas cujo conteúdo é desagradável, Freud supõe que esteja presente uma tentativa de dominar uma impressão poderosa de forma ativa, em vez de ser invadido passivamente por ela. Portanto, não há aqui contradição com o princípio de prazer. O mesmo não ocorre, porém, com o adulto. Se lhe contamos duas vezes a mesma história, ele se aborrece; uma piada contada pela segunda vez perde quase toda a graça; o mesmo passeio, quando repetido, não tem o mesmo sabor. Para o adulto, a novidade é sempre a condição do deleite.[18] O que acontece na compulsão à repetição de experiências traumáticas, por parte do adulto, é que esta não atende, sob nenhum aspecto, às exigências do princípio de prazer, e no entanto mantém o seu caráter pulsional. Este é o caminho que levará Freud a postular a pulsão de morte.

## 3. A repetição em Hegel, Kierkegaard e Nietzsche

No começo era o caos – é o que nos diz Hesíodo na *Teogonia*. Sobre esse lugar indiferenciado, inabitado pelos deuses e pelos homens, anterior ao primeiro dia e à primeira palavra, cai o mais absoluto silêncio.

Rompido o silêncio do caos, o que se ouviu foi a palavra enigmática e lacunar do mito contando a história dos começos. Frente ao indeterminado, surge o mito narrando a ordem primeira, ordem esta concebida não como anterior ao caos, mas como um efeito dele, não como fundamento necessário aos acontecimentos ou como razão imanente ao mundo e às coisas, mas como resultante do acaso original. O *mythos* é a narrativa desses começos.

Estrangeiro pela palavra, o homem procurou ordenar o caos criando modelos para os acontecimentos presentes e futuros. É a partir desses acontecimentos primeiros que o homem grego vai forjar o conceito de natureza. Os feitos dos deuses e dos heróis não são determinados a priori, não obedecem a nenhuma ordem preestabelecida, não são a manifestação de nenhuma lei. Os deuses e os heróis não atualizam uma natureza, eles produzem-na a partir do caos original. Esses acontecimentos primordiais, uma vez produzidos, transformam-se em modelos para a conduta dos homens. O homem das culturas arcaicas e primitivas repete esse modelo, sendo que é através dessa repetição que os fatos do cotidiano ganham sentido e realidade. Os acontecimentos do mundo não possuíam realidade em si mesmos, mas apenas na medida em que repetiam acontecimentos pretéritos. Ora, como todo acontecimento original caracterizava-se por ser um ato de criação por parte de um deus ou de um herói, a conduta exemplar era aquela que repetia indefinidamente a criação original. Temos, assim, acontecimentos sagrados e acontecimentos profanos, os primeiros repetindo um modelo original, e os segundos sendo estranhos a esse modelo. Os atos exemplares são, portanto, a-históricos, cabendo a historicidade apenas aos atos profanos. O mundo, no que possui de verdadeiro (ou de sagrado), é uma *repetição*. O que não é repetição permanece imerso no caos, carecendo de sentido e de realidade.

Assim, desde a mais remota antiguidade, a repetição é uma questão central para o homem. Desde o mito, passando pelo "eterno retorno" de Heráclito até Nietzsche, o tema da repetição atravessa a história do pensamento ocidental. Quando ele ressurge na obra de Freud – no início, timidamente, até transformar-se em tema central de *Além do princípio de prazer* –, o faz com o peso dessa história, e o Édipo é sua marca registrada.

Dentre os autores que tratam da questão da repetição, e que fazem parte do mesmo solo do saber no interior do qual a psicanálise fez sua emergência, Hegel, Kierkegaard e Nietzsche transformaram-se em referenciais privilegiados pelos comentadores de Freud, apesar de a influência direta que os dois primeiros possam ter tido sobre ele ser quase nula. Nós porém não podemos ignorá-los. Se há algo que podemos considerar como sendo comum a Hegel, Kierkegaard, Nietzsche e Freud, é, em primeiro lugar, a importância que eles conferem à repetição, e, em segundo lugar, o fato de que para eles repetição não é reminiscência.

* * *

A aproximação entre Hegel e Freud através do conceito de repetição já foi feita há trinta anos por Jean Hyppolite, numa conferência pronunciada na Sociedade Francesa de Psicanálise.[1] Hyppolite propõe aproximar a *Fenomenologia do Espírito de Hegel* e *A in-*

*terpretação de sonhos* de Freud através da noção de *retrospecção*, noção esta que se encontra também na base da leitura que Édipo faz de sua própria história, e que encerra o fundamental da prática psicanalítica.

O fio condutor da releitura que Hyppolite faz de *Fenomenologia* é a noção de *verdade* entendida como desvelamento, que se efetua pela intersubjetividade ou, na terminologia hegeliana, pela intercomunicação de duas autoconsciências humanas. Segundo Hegel, essa comunicação intersubjetiva só pode ser feita pela linguagem, única mediação possível entre autoconsciências, isto é, único meio de essas autoconsciências saírem de suas respectivas certezas subjetivas e constituírem uma verdade objetiva. Mas como nos diz Hegel, a verdade nunca é um dado, mas o resultado de um processo que ao mesmo tempo a produz e a revela. Esse desvelamento implica, porém, uma releitura – num primeiro momento, o fenômeno é considerado enquanto vivido, enquanto experiência do sujeito (certeza subjetiva); num segundo momento, o da releitura, ele é incluído na totalidade do Espírito (*Geist*) que revela a sua verdade.

O que Hyppolite propõe é uma analogia entre o percurso realizado pela consciência, desde o seu momento de inconsciência-de-si até a autoconsciência, e o caminho percorrido por Édipo em direção à sua verdade de parricida e incestuoso. Essa experiência, que é descrita na *Fenomenologia do Espírito* de Hegel, é também aquela que realiza o paciente na prática clínica psicanalítica. É importante ressaltar que, tanto em Hegel como em Freud, esse percurso se constitui com a experiência que o sujeito faz de si mesmo e não como algo que lhe possa ser acrescentado de fora. Da mesma forma como Édipo não se reconheceria parricida e incestuoso se essa verdade lhe fosse dita logo após ter assumido o trono de Tebas e ter-se casado com Jocasta, também o paciente psicanalítico não reconheceria como sua a história que lhe fosse comunicada prematuramente pelo psicanalista. O desconhecimento de Édipo quanto à sua verdade assim como o desconhecimento do paciente quanto ao significado do seu sintoma são da mesma natureza que o desconhecimento com que é marcada a consciência ingênua de que Hegel nos fala na *Fenomenologia do Espírito*. A certeza (subjetiva) que caracteriza a consciência somente será substituída pela verdade (objetiva) ao final do processo que revelará, retrospectivamente, o caráter ocultador do momento inicial. Não há outro caminho para a verdade senão aquele que se constitui pela experiência que a consciência empreende dela mesma. É portanto a Totalidade que confere verdade plena ao fenômeno; sem ela, ele permanece incompleto enquanto sentido. Trata-se de uma concepção essencialmente grega da realidade.

A visão kierkegaardiana da repetição difere da de Hegel na medida em que não admite a totalização (o mesmo podemos dizer da concepção freudiana). Está mais próxima da visão cristã do que da visão grega, na medida em que a visão cristã admite que a repetição pela fé apresenta a possibilidade de uma renovação.

Em Kierkegaard, o tema da repetição não está presente apenas no livro que leva este título, mas desenvolve-se na parte de sua obra que ele designa como "estética". Assim, por exemplo, temos não apenas a repetição malsucedida de Constantino Constantius em *A repetição*, como também a repetição bem-sucedida de Johannes de Silentio em *Temor e tremor*.[2] Já no prefácio do primeiro, Kierkegaard nos adverte que repetição não é reminiscência; não se trata também da repetição natural, identificada com a lei, nada que se assemelhe ao movimento dos astros ou ao ciclo das estações. O conceito surge da confrontação da subjetividade com a realidade, e é colocada sob a forma de uma pergunta inicial: "Uma coisa, ao ser repetida, ganha ou perde?"

Uma primeira resposta poderia ser a de que haveria indiscutivelmente uma perda, posto que o ganho só poderia advir de uma fuga à repetição, tornando possível a vivência do instante. Este não é, porém, o ponto de vista de Constantino Constantius, para quem a existência não é o puro acaso do devir, mas repetição. Repetição, diz ele, tomada "no sentido grego" do termo. E no conceito grego de *Kinesis* (movimento, mudança), particularmente tal como foi pensado por Aristóteles, que Kierkegaard vai buscar apoio para empreender sua crítica à concepção hegeliana de mudança. No entanto, apesar da evidente crítica de Constantino Constantius a Hegel, e do tão declarado anti-hegelianismo de Kierkegaard, não seria inteiramente descabido afirmarmos que o pensador dinamarquês retoma a noção hegeliana de "releitura" conferindo-lhe novo sentido. Claro está que isto não implica estabelecermos uma filiação de Kierkegaard a Hegel (pelo menos num sentido linear) ou em aproximarmos o conteúdo de ambos os pensamentos; o que está sendo assinalado aqui, como presente a ambos, é o conceito de repetição.

Ao retomar a noção de repetição, Kierkegaard vai distinguir o que ele chama de repetição numérica (pura reprodução de algo) da repetição propriamente dita. Enquanto a primeira é a repetição que encontramos na natureza, uma forma de manutenção do mesmo, a segunda é produtora de diferenças; enquanto a primeira se expressa sob a forma da lei e diz respeito ao semelhante, à generalidade, a segunda é contrária à lei. É nesse sentido que Kierkegaard afirma que é preciso entender a repetição "no sentido grego", isto é, como algo que diz respeito a uma singularidade, singularidade esta que afirma a eternidade, mas não a permanência. Não se trata de afirmar uma eterna repetição do "mesmo", mas de mostrar que o eterno retorno de que nos falam os gregos aponta para o que podem chamar de repetição diferencial. Os acontecimentos, quando repetidos, já não são os mesmos. A própria repetição de uma palavra não traz com ela a repetição do sentido.

É movido por esse sentimento de que o tempo impõe ao eterno retorno uma marca renovadora que Constantino/Kierkegaard empreende a tentativa de reviver todo o encanto de uma noite de estreia num teatro em Berlim, e a experiência fracassa. O fracasso ocorre porque o personagem de Constantino Constantius empreende sua tentativa de uma maneira excessivamente objetiva. Não se trata, evidentemente, de proceder a uma reprodução pura e simples da experiência anterior, até mesmo porque isto seria impossível, nem de retomá-la desde fora, da exterioridade, mas, ao contrário, trata-se de um exercício de liberdade.

O que Kierkegaard distingue aqui é a repetição natural, que se confunde com a lei, e a repetição como liberdade, como potência de interioridade, como subjetividade. O alvo da crítica de Kierkegaard, nesse momento, é Kant. Sabemos que uma das questões kantianas, sobretudo na *Crítica do juízo*, é a de encontrar o fundamento da unidade entre o domínio da natureza e o da liberdade, assim como a passagem de um a outro. Kierkegaard não admite que essa passagem possa ser feita pelo conhecimento e aponta a repetição como uma possibilidade, contanto que ela não seja confundida com reminiscência.[3]

Em *Différence et répétition*,[4] Deleuze aponta quatro características da repetição em Kierkegaard, que são ao mesmo tempo pontos de coincidência com a concepção de Nietzsche: 1) A repetição implica algo novo, está vinculada, para Kierkegaard, a uma seleção e colocada como objeto supremo da liberdade e da vontade. Repetir não é contemplar nem lembrar, mas *atuar*, "trata-se de fazer da repetição como tal uma novidade, quer dizer, uma liberdade e uma tarefa da liberdade".[5] Essa oposição entre o recordar e o atuar vamos encontrá-la também em Freud referida à questão da repetição. Para Freud, a repetição substitui a recordação, e se ela num primeiro momento é tomada sob um aspecto puramente negativo (como resistência), num segundo momento ela é considerada como o fundamento da transferência e produtora de novidade. 2) A repetição se opõe às leis da natureza; ela diz respeito ao que há de mais interior na vontade e não às mudanças e igualdades que se dão em conformidade com as leis da natureza. Sob este aspecto, Kierkegaard condena tanto a repetição epicureia como a estoica. 3) A repetição se opõe à lei moral; é obra do solitário, é o logos do "pensador privado". Este último é tomado por Kierkegaard como o oposto do professor público, cujo discurso conceitual torna-o "doutor da lei". 4) A repetição se opõe às generalidades do hábito, assim como às particularidades da reminiscência. Pela repetição, o esquecimento transforma-se numa potência positiva, e o inconsciente se converte em um inconsciente superior positivo.[6]

Vimos anteriormente que podemos distinguir duas formas de repetição: uma repetição-reprodução, repetição do "mesmo", tipo de repetição que Kierkegaard chamava de natural e que se confunde com a lei; e uma repetição diferencial, produtora do novo e de diferenças. Nietzsche foi o grande filósofo da repetição diferencial, o que faz dele um pensador trágico por excelência. O que se entende por "trágico" aqui é a afirmação do acaso, repetição diferencial de uma afirmação que é um puro devir. Não há trágico naquilo que é absolutamente novo, o trágico implica a repetição. Também o acaso puro não é trágico, ele é a afirmação primeira, o devir, o puro acontecimento. Este, como diz C. Rosset, pode até ser catastrófico, mas nada tem de trágico, na medida em que o trágico não se define pela dor e pela tristeza, mas pela afirmação do acaso.[7] O trágico é a afirmação da afirmação, ele não é propriamente da ordem do acontecimento, mas da afirmação do acontecimento. A primeira afirmação é o devir (acaso); a segunda afirmação, que afirma a primeira, afirma o ser do devir (necessidade). Esta repetição é, no entanto, repetição diferencial, não se trata de uma cópia do primeiro acontecimento, mas de uma repetição produtora de diferenças. O que é preciso acrescentar ao acontecimento (puro acaso) para que ele se constitua como trágico é o *logos* - a palavra ou a interioridade. Essa interioridade não deve ser entendida como interiorização da exterioridade, não se trata da interiorização da ordem e da lei. A repetição trágica não é uma negação do acaso, mas a sua própria afirmação constituindo-se como necessidade.

Essa concepção da repetição Nietzsche vai buscar em Heráclito, o único dentre os pré-socráticos que ele considerava como um pensador trágico, posto que afirmava o devir e o ser do devir. Essa dupla afirmação corresponde aos dois momentos do jogo de dados de que nos fala Nietzsche em *Zaratustra*: os dados lançados e os dados que caem. Os dados lançados são a afirmação do acaso; os dados que caem são a afirmação da necessidade.[8] O acaso é identificado ao múltiplo, ao caos, enquanto que a necessidade (*ananke*) é a própria afirmação do acaso, sua própria combinação e não sua eliminação do acaso. Em Heráclito esses dois momentos correspondem à *physis* e ao *logos*. A afirmação não afirma o ser; é ela própria o ser. Enquanto afirmação primeira, ela é devir, mas ela mesma é objeto também de outra afirmação. Assim, tomada em toda a sua extensão, a afirmação é dupla, é preciso uma segunda afirmação para que a afirmação seja ela própria afirmada.[9] Acaso e necessidade não se opõem, combinam-se numa unidade complexa, sendo a necessidade uma reafirmação do próprio acaso. Enquanto tal, ela é uma repetição diferencial - este é o sentido do eterno retorno de Nietzsche.

O trágico implica a repetição. Isto não faz, porém, com que o pensamento trágico opere sobre um "dado". O acaso não é o dado sobre o qual o trágico vai se constituir, já que o dado implica o ordenado, enquanto o acaso é anterior a qualquer ordem. Poderíamos ainda supor que o primeiro momento do acaso-trágico seria marcado pelo inconsciente e que o segundo momento assinalaria a passagem à consciência. Clement Rosset[10] nos mostra, porém, que o que o pensamento trágico se propõe a fazer é passar o trágico não do inconsciente à consciência, mas do silêncio à palavra. O trágico é o que nos remete para além dos limites do discurso conceitual e o que silencia esse discurso.

A concepção nietzschiana do trágico difere ainda da que nos oferece Schopenhauer, que o identifica com uma visão pessimista do mundo. A repetição trágica de que nos fala Nietzsche nada tem a ver com o pessimismo, sendo mesmo sua negação, já que o pessimismo supõe uma natureza que aparece a ele como insatisfatória.[11] O trágico de repetição, para Nietzsche, não pressupõe uma natureza – seja ela boa ou má –, não se refere a uma culpa ou injustiça cósmica do tipo proclamado por Anaximandro, à qual temos que nos submeter numa expiação infindável. Para o pensamento trágico, o homem não é culpado, não carece de nada, não é definido pela falta: "O trágico se define pela cotidianidade e não pela exceção e pela catástrofe (...). Não existem duas esferas de realidade – a trágica e a não trágica – mas dois modos de olhar (o trágico e o não trágico)."[12]

Não se trata aqui de fazermos o inventário daquilo que se repete de forma idêntica por oposição às repetições diferenciais, e nem mesmo de admitirmos que a repetição-reprodução pertence ao domínio da natureza, enquanto que a repetição diferencial pertence ao domínio do humano. Trata-se, acima de tudo, de deixar patente a diferença profunda que preside cada uma das concepções da repetição.

Foi partindo do fato de que a repetição-reprodução era possível dentro do domínio do humano, que J.B. Watson, ao fundar o behaviorismo, descartou qualquer referência à interioridade do sujeito por considerá-la metodologicamente inútil. Para o behaviorismo de Watson, "uma vez dado o estímulo, a psicologia deve predizer a resposta; ou inversamente, uma vez dada a resposta, a psicologia deve especificar a natureza do estímulo".[13] Claro está que a partir desse ponto de vista toda vez que se repetir o mesmo estímulo teremos a mesma resposta. No entanto, antes mesmo de findar o século XIX, esse associacionismo de tipo mecanicista já era alvo de severas críticas, sobretudo no que se referia à questão da repetição. Assim, William James recusava a possibilidade de um mesmo estado de consciência se repetir de maneira idêntica, pois cada sensação provoca uma mudança no cérebro e, portanto, para que um estado de consciência volte a se produzir uma segunda vez de forma idêntica, teria que se dar em um cérebro imutável.[14] É somente de uma maneira artificial que essa repetição é possível, e mesmo assim é discutível. Os experimentos sobre o *behavior* são possíveis com animais, dentro dos limites impostos pelas condições experimentais. São, portanto, abstratos. Transpor seus resultados para o domínio do humano é desconhecer que o homem fala, que pela linguagem opera uma metamorfose no real, constituindo um mundo irredutível ao mundo animal. O mundo humano é o mundo do sentido, mundo que não é pensável fora da referência ao simbólico. Esta é a razão pela qual Jacques Lacan, em algum momento dos seus seminários, afirma que não há *behavior* humano, mas *ato* humano, isto é, algo que se constitui como sentido e que é indissociável da linguagem. Uma palavra, ou mesmo uma frase, quando repetida, não traz com ela a repetição do seu sentido. E a esse respeito, o conto de Borges "Pierre Menard, autor do Quixote" é exemplar.[15]

Borges nos fala de um certo Pierre Menard, que teria contraído o misterioso dever de reconstruir literalmente o D. Quixote, de Cervantes. "Não queria compor outro Quixote - o que é fácil - mas *o Quixote.* Inútil acrescer que nunca visionou qualquer transcrição mecânica do original; não se propunha a copiá-lo. Sua admirável ambição era produzir páginas que coincidissem - palavra por palavra e linha por linha - com as de Miguel de Cervantes."[16] Para tanto, o curioso romancista dedicou-se ao espanhol do século XVII, à fé católica, à guerra contra os mouros e ao esquecimento de tudo o que havia ocorrido entre os séculos XVII e XX. "Dedicou seus escrúpulos e vigílias a repetir num idioma alheio um livro preexistente. Multiplicou os apontamentos; corrigiu tenazmente e rasgou milhares de páginas manuscritas." Resultou desse trabalho de anos e anos um texto rigorosamente igual ao de Cervantes, só que o de Pierre Menard "é quase infinitamente mais rico". E Borges propõe um cotejo entre os dois. Assim, no nono capítulo da primeira parte, Cervantes escreveu:

> "(...) a verdade, cuja mãe é a história, êmula do tempo, depósito das ações, testemunha do passado, exemplo e aviso do presente, advertência do futuro."

Pierre Menard, em compensação, escreveu:

> "(...) a verdade, cuja mãe é a história, êmula do tempo, depósito das ações, testemunha do passado, exemplo e aviso do presente, advertência do futuro."

O primeiro texto, escreve Borges, redigido no século XVII por Cervantes, "é um mero elogio retórico da história", em nada comparável ao de Menard. Este escreve que a história é *mãe* da verdade; "a ideia é espantosa". "Menard, contemporâneo de William James, não define a história como um indagação da realidade, mas como sua origem. A verdade histórica, para ele, não é o que sucedeu; é o que pensamos que sucedeu. As cláusulas finais *exemplo e aviso do presente, advertência do futuro* – são descaradamente pragmáticas."

"Vívido também é o contraste dos estilos. O estilo arcaizante de Menard – no fundo estrangeiro – padece de alguma afetação. Não assim o do precursor, que com desenfado maneja o espanhol corrente de sua época." Com ironia e com humor, Borges prossegue o cotejo, que nunca seria excessivo reproduzir aqui, mas prefiro remeter o leitor ao próprio Borges.

Imaginemos um poeta excêntrico e solitário, reescrevendo a *Ilíada* e a *Odisseia*, compondo verso por verso, escolhendo cuidadosamente cada palavra para eliminá-las em seguida, por não estarem contidas no texto homérico. Repetição-reprodução que o gênio de Borges transforma em repetição diferencial. Será esse Pierre Menard nosso neurótico? O obsessivo de que nos fala Freud? Ou será ele a imagem do intelectual que persegue minuciosa e incansavelmente as indicações de pé de página do seu autor predileto – que Borges ironicamente chama de "precursor" –, procurando assim repetir seu percurso para reproduzir sua grande obra? Não é demais lembrar que "repetir" (do latim *repetere*) significa "tornar a dizer ou escrever", isto é, algo que diz respeito à linguagem ou, num sentido mais amplo, aos atos humanos e não aos fenômenos naturais.

Kierkegaard se dá conta, através de Constantino Constantius, que repetição não é reprodução, ou mesmo que a reprodução em se tratando de atos humanos é impossível. O que Constantino não consegue saber é como a repetição se constitui. Sua tentativa, inevitavelmente malsucedida, era a de reproduzir a magia do acontecimento primeiro. O que lhe escapava era que a magia residia na própria repetição e não na reprodução mecânica de um acontecimento primeiro. A repetição implica o novo. A magia do conto de Borges não está na reprodução minuciosa do texto de Cervantes por parte de Pierre Menard, mas no novo que a narrativa de Borges faz surgir. E essa noção de que a repetição demanda o novo, o acaso, de que ela está voltada para o lúdico, é que vai se constituir num dos pontos centrais da análise empreendida por Lacan do conceito de repetição em Freud.

## 4. Sobre a noção de causa acidental: Tyche e Automaton

Ao abordar a questão da repetição em Freud, Jacques Lacan recorre a Aristóteles e sua teoria dos princípios (teoria das quatro causas), particularmente tal como é exposta nos capítulos quarto e quinto da *Física*. Mais do que as quatro causas apontadas por Aristóteles como os princípios das coisas – causa formal, material, eficiente e final –, o que está em questão aqui é a sua noção de causa acidental (*symbebekos*) nas duas formas em que é concebida por Aristóteles: *tyche* e *automaton*.

A chamada teoria das quatro causas de Aristóteles, exposta no Livro I da *Metafísica*, diz respeito, em verdade, aos princípios ou fatores explicativos das coisas e articula-se, num conjunto mais amplo, às distinções fundamentais de sua filosofia: essência-acidente, ato-potência e matéria-forma, no sentido de mostrar que a filosofia consiste fundamentalmente numa indagação de princípios.

Aristóteles distingue quatro princípios das coisas: 1) A causa formal (*eidos*), que faz com que uma coisa seja o que é distinguindo-a das demais (sua substância, sua definição ou noção); 2) A causa material (*hyle*), que é a matéria de que uma coisa está feita; 3) A causa eficiente (*kinoun*), que é o princípio de movimento ou mudança de uma coisa, sua causa produtora; 4) A causa final (*telos*), o fim para o que uma coisa existe. A teoria das quatro causas responde, portanto, à exigência aristotélica de que tudo o que acontece, acontece a partir de algo, de que não há movimento ou mudança sem causa.

A questão da causalidade é retomada na *Física*, onde Aristóteles analisa a noção de *causa acidental* (*symbebekos*), que ele divide em dois tipos: *tyche* e *automaton*. Ambos dizem respeito a acontecimentos excepcionais, sem que, no entanto, sejam pensados como absurdos ou irracionais, mas como "privações". *Tyche* e *automaton* são causas reais que se incluem na categoria de *causa eficiente*, distinguindo-se das demais causas eficientes pelo seu caráter de excepcionalidade. Enquanto a *tyche* é associada frequentemente a uma necessidade (fortuna) desconhecida para o homem, porém dotada de algum grau de deliberação, *automaton* é tomada num sentido mais próximo de *acaso*, isto é, de uma causa acidental na qual não houve nenhuma deliberação humana ou divina.

As noções de *tyche* e *automaton* foram em geral assimiladas à noção de acaso, na medida em que diziam respeito a algo que acontecia sem que a razão humana pudesse atribuir uma inteligibilidade. No entanto, o significado dessas noções, longe de ser o mesmo, foi muitas vezes o oposto um do outro. O fato, por exemplo, de *tyche* designar uma causa oculta para a razão humana não significava de modo algum que ela deveria ser assimilada a um caráter puramente fortuito ou absurdo do fenômeno. Pelo contrário, a *tyche* grega designava em geral uma divindade desconhecida – porém nomeada – responsável pela sorte ou infortúnio dos homens. O poeta Arquíloco de Paros refere-se insistentemente à *tyche* divina e sua força sobre o destino dos homens. Arquíloco chega mesmo a afirmar que o esforço do homem para alcançar a independência e a liberdade implica uma renúncia ao que ele recebeu dos deuses, da *tyche* divina. A *tyche* é uma entidade absolutamente presente no cotidiano do homem grego, intervindo tanto na vida do indivíduo como na vida da coletividade.[1]

Também Platão, na *República* e nas *Leis*, refere-se à *tyche* como uma força divina responsável pela sorte do indivíduo e da *polis*. É essa mesma noção que vai ser retomada por Aristóteles e, destituída de seu caráter místico, incluída na sua teoria da causalidade física. Na verdade, longe de designar aquilo que chamamos de acaso, ela designa muito mais um destino, algo ao qual o homem é submetido e que é exterior aos próprios acontecimentos. O "acaso" que caracteriza a *tyche* designava também o encontro de duas séries causais, cada uma perfeitamente determinada, ficando o caráter de excepcionalidade referido ao encontro de uma com a outra. Este aspecto da *tyche* foi retomado por Santo Tomás de Aquino, ao afirmar que a divina providência não exclui o fortuito nem o casual (caso contrário, a própria ideia de divina providência seria excluída). O exemplo, retomado por Tomás de Aquino, é o da pessoa que vai à praça pública para comprar ou vender algo e se encontra com uma outra pessoa que lhe devia dinheiro e lhe paga. O motivo pelo qual cada um foi à praça nada tinha a ver com o pagamento da dívida, que aconteceu "por acaso".[2] Tal como Aristóteles, Tomás de Aquino não entende o acaso como ausência de ordem, mas como um acidente que articula séries causais independentes.

A noção de *automaton* introduzida por Aristóteles no Livro II da *Física* também é concebida como se referindo a uma causa acidental. Tal como a *tyche*, *automaton* pressupõe uma ordem natural em relação à qual é uma exceção. *Automaton* significa "aquilo que se move por si mesmo",[3] ou seja, aquilo que acontece sem nenhuma deliberação humana ou divina e cujo efeito não era esperado. É em geral traduzido por "espontaneidade" e está muito mais próximo daquilo a que chamamos de acaso do que a *tyche* (que se aproxima mais de *ananke* – necessidade). No entanto, independentemente dos matizes de sentido que ambos os termos tiveram na Grécia antiga, tanto *tyche* quanto *automaton* designam um acaso secundário e não um acaso original, isto é, estão ambos referidos a uma ordem da qual eles são uma exceção ou um desvio, diferentemente de um acaso original que não supõe nenhuma natureza, mas que é produtor de naturezas diversas.[4] O acaso em

Aristóteles não é igual ao acaso em Lucrécio, por exemplo. Para Lucrécio, aquilo que preside ao nascimento das coisas não é uma lei, uma ordem a priori, mas o puro acaso do *clinamen*. A natureza em Lucrécio é princípio do diverso e não ordem essencial. Entre as noções de *tyche* e *automaton*, tal como foram empregadas por Aristóteles, e a noção de *clinamen* de Lucrécio, existe, pois, uma grande distância, na medida em que esta última não é alteração da ordem, mas ausência de qualquer ordem.

Lacan entende o *automaton* como a rede de significantes, enquanto vê a *tyche* como "o encontro do real".[5] Trata-se, para ele, de trazer à luz a função da *tyche*, para além do *automaton*. A *tyche* designa o real como encontro, mas como um encontro faltoso. Para além do jogo dos signos e seu retorno (*automaton*), para além da fantasia, para além disto que é regulado pelo princípio de prazer, há o real. O real é o que se repete, e "o que se repete, com efeito, é sempre algo que se produz – a expressão nos diz bastante da sua relação com a *tyche* – *como por acaso*."[6] Aquilo que Lacan procura esclarecer através das noções de *tyche* e *automaton*, particularmente através da primeira, é a função do real. Antes, porém, de respondermos sobre a função do real, uma questão primeira se impõe: o que é o real?

Numa conferência feita em junho de 1955,[7] Lacan diz que o sentido que o homem sempre deu ao real é o de algo que se encontra sempre no mesmo lugar. Foi em relação a esta função do real que as ciências exatas tornaram-se possíveis. Mas enquanto a ciência mede o espaço com sólido, ela mede o tempo com tempo. E a unidade de tempo é sempre referida ao real, ao fato de ele "voltar ao mesmo lugar". É de maneira semelhante que Lacan vai pensar o real em psicanálise – enquanto temporalidade ligada à cadeia significante.

A cadeia significante nada mais é do que a cadeia do desejo comandada pelo princípio de prazer. A insistência dos signos de que Lacan nos fala é a própria insistência do desejo; a articulação temporal entre os significantes constituindo-se como presença do desejo cujo objeto absoluto falta sempre. O objeto presente, ilusão do objeto absoluto, é o que constitui o imaginário, marcado pela decepção, pela negatividade, pela castração. Entre estes dois objetos – o presente ilusório e o ausente absoluto – é que vamos situar a função do real.

O real não se situa entre os objetos do mundo, entendidos estes como objetos possíveis do desejo, mas como o impossível, como o que falta ao encontro marcado, e em cujo vazio toma lugar o significante. O objeto, enquanto falta fundamental, é denominado a *Coisa*. Lacan distingue entre *das Ding* e *die Sache*.[8] Ambos os termos, em alemão, designam "coisa". Procuramos *das Ding* mas encontramos *die Sache*. Este último é o que se constitui como objeto do desejo e que é referido à cadeia significante; sua presença é uma presença ilusória, já que ele preenche o vazio de *das Ding*, sem no entanto possibilitar a satisfação plena. Isto, porém, não significa que, por oposição ao caráter ilusório de *die Sache*, *das Ding* seja o real. A rigor não podemos sequer dizer que *das Ding* é o objeto perdido, posto que ele jamais o foi realmente; o que o constitui como "perdido" é a nossa procura. Alain Juranville[9] diz que o real não é o desejável, mas "o tanto de tempo que o desejado não surge". É nessa medida que não devemos confundir a função de repetição (*Wiederholen*) com a função de retorno (*Wiederkehr*), ou com a rememoração (*Erinnern*). O real não é o que retorna – o que retorna são os signos –, mas o que se repete como falta é o encontro faltoso que Lacan designa como *tyche*. O real não é a realidade, na medida em que entendemos por esta última os objetos do mundo, mas é o que confere "realidade" ao mundo. Presença irredutível, o real é o que se repete, e nessa repetição funda o próprio mundo enquanto realidade. Esta é a repetição que vai caracterizar essencialmente a pulsão.

# 5. A REPETIÇÃO E AS MÁSCARAS

Nos capítulos anteriores, fiz referência a dois tipos de repetição: a repetição do "mesmo" (reprodução) e a repetição diferencial; no entanto, não cheguei a precisar a natureza desta última para a psicanálise. O que a repetição repete? Qual a relação da repetição com a pulsão?

Deleuze[1] nos diz que repetição não é generalidade, não é semelhança, que ela na verdade é o oposto da generalização, pois diz respeito a uma singularidade que não é substituível ou intercambiável. "Repetir", nos diz ele, "é uma forma de se comportar, mas em relação a algo único ou singular, que não possui semelhante ou equivalente (...). Não é acrescentar uma segunda e uma terceira vez à primeira, mas conduzir a primeira à enésima potência."[2] É pelas *máscaras* que a repetição se constitui, isto é, como *disfarce*. As máscaras, porém, não encobrem senão outras máscaras, o que faz com que não haja um primeiro termo da repetição, mas que a própria máscara seja o sujeito da repetição. "A repetição não é representação";[3] a repetição não representa uma coisa, ela *significa* algo, ela é, em sua essência, de natureza simbólica.

Aquilo de que a psicanálise nos fala é dessa repetição interminável, desse jogo amoroso que constitui a ligação de Eros com um passado reencontrado. O que se repete aqui é o sexual, ou melhor, a repetição é constituinte do sexual. Repetimos um encontro amoroso que, em si mesmo, já é máscara (encontro primeiro com a mãe). Nos casos em que a repetição aparece desnuda, isto é, em que se apresenta como repetição do "mesmo" e não como repetição diferencial, como nos rituais obsessivos, ela encobre uma repetição mais profunda que se desenvolve numa dimensão vertical e não horizontal como os disfarces. Gilles Deleuze[4] assim como Clement Rosset[5] são de opinião que, neste caso, a repetição se alimenta da pulsão de morte. Não creio, porém, que a interpretação tenha que ser necessariamente esta, apesar de ser a que expressa mais fielmente o Freud de *Além do princípio de prazer*. Mas se admitimos pensar a oposição pulsão de morte/pulsão sexual não como uma oposição entre entidades substanciais distintas, mas como uma oposição de *modos*, então podemos reformular a questão anterior. Mais à frente, voltarei ao tema. Por enquanto procuremos entender a questão das máscaras dentro do quadro teórico da segunda tópica freudiana, sem introduzirmos alterações em sua estrutura.

Nesse jogo de repetições que constitui o sexual, o que se repete não é, pois, um primeiro termo em relação ao qual todos os demais seriam máscaras. O que se repete são os disfarces, as máscaras, mas com a condição de não se entender a repetição como externa aos disfarces. Ela não é aquilo que, de fora, vem se sobrepor às máscaras, mas é parte integrante e constituinte dessas próprias máscaras. Isto significa dizer que não há um elemento primeiro, sem máscara, que poderia ser tomado como referencial absoluto e como a verdade sob os disfarces. Como diz Deleuze, nessa série de travestimentos não encontramos o travesti desnudo que seria o primeiro elemento da série.

Não foi por outra razão que Freud abandonou a teoria do trauma. Esta supunha um acontecimento original, primeiro elemento de uma série cujos efeitos atuais seriam os sintomas neuróticos. A cena traumática seria, desta maneira, o "travesti desnudo", o fato bruto causador dos demais elementos da série, e cuja descoberta desfaria o jogo de máscaras. O emprego do procedimento hipnótico tinha por objetivo possibilitar o acesso do paciente ao seu próprio passado, a fim de que ele encontrasse esse elemento primeiro causador de sua neurose. Cada sintoma era uma máscara que ocultava um acontecimento real esquecido (porém retido) pelo paciente. Dessa forma, a neurose era produto de uma amnésia e a cura seria obtida pela reminiscência. O que Freud percebeu, antes mesmo de escrever *A interpretação de sonhos*, foi o caráter fantasmático dessas cenas traumáticas, isto é, que as seduções sexuais sofridas na infância eram *fantasias* de sedução e não sedução real.[6] Deixa de haver, pois, um começo, assim como deixa de haver um fim. A análise é interminável porque somos remetidos a este jogo interminável das repetições.

O que dizer, então, da experiência primária de satisfação (*Befriedigungserlebnis*)? Freud a aponta como a primeira experiência em que se dá o diferencial prazer-desprazer. Não seria esta experiência o primeiro elemento da série a ser repetido indefinidamente? Creio que isto só seria possível se víssemos nessa experiência não um encontro, mas apenas a vivência isolada da criança. No entanto, esse "primeiro encontro amoroso" repete outros encontros amorosos. Sem dúvida, podemos ver no amor pela mãe o ponto inicial de uma série, mas isto se considerarmos apenas a série particular que une a criança à mãe. No entanto, nessa articulação criança-mãe podemos reencontrar outras articulações amorosas. "Deduziremos disto que a imagem da mãe não é talvez o tema mais profundo, nem a razão da série amorosa, pois, embora seja certo que nossos amores repetem nossos sentimentos pela mãe, também repetem outros amores que nós mesmos não vivemos. A mãe aparece mais como a transição de uma espécie a outra, a maneira como nossa experiência começa, mas que já se encadeia a outras experiências realizadas por outro. Em última instância, a experiência amorosa é a de toda a humanidade que atravessa o transcurso de uma herança transcendente."[7]

Isto não significa, porém, que a experiência primária de satisfação não tenha nenhuma importância. Ela, de fato, se constitui como o momento de instauração de uma experiência diferencial não apenas quantitativa como também qualitativa: a do prazer-desprazer. Além do mais, é a partir desta experiência que podemos passar a falar de identificação primária, representante primário e fantasia primária, isto é, de algo que, por referência à pulsão, vai se constituir como uma instância psíquica: o Id. O "primário" aqui diz respeito à série pessoal de nossas relações amorosas, mas que não é primário em relação a outras séries mais amplas que são transpessoais.[8]

O prazer tem início, pois, com essa experiência diferencial. A questão que Deleuze aponta como sendo de fundamental importância para Freud é a de se saber como o prazer, que originalmente é um processo, torna-se um princípio organizador da vida psíquica.

Segundo Freud, o que há inicialmente é *prazer de órgão* (*Organlust*). Anteriormente a qualquer organização, as pulsões parciais se satisfazem de forma autoerótica, sem levar em consideração as demais pulsões e sem obedecer a qualquer coisa que possa ser denominada "princípio". Não há nenhuma região do corpo que seja essencialmente caracterizada como erógena, assim como não há nenhum objeto que responda especificamente pela satisfação. O que há inicialmente é uma superfície corporal sobre a qual o diferencial prazer-desprazer se fará com absoluta independência de qualquer princípio organizador. Assim, não é o princípio de prazer o que funda o prazer, mas, ao contrário, é o prazer o que se erigirá em princípio. A passagem do prazer entendido como processo psicológico para o prazer entendido como princípio se daria em função da *ligação* (*Bindung*), isto é, por uma contenção ao livre escoamento das excitações, transformando o estado de pura dispersão em estado de integração (transformação de energia livre em energia ligada). Esse estado de pura dispersão das excitações, anterior à instauração do princípio de prazer e de seu complementar, o princípio da realidade, é evidentemente um estado hipotético e que só pode ser pensado recorrentemente. É a partir do aparelho psíquico já constituído que Freud pensa esse estágio inicial anárquico. Tal como na física, onde a concepção de um estado caótico de pura dispersão de energia só pode ser feita recorrentemente a partir de um sistema já estruturado, também em psicanálise esse momento inicial é uma ficção teórica, não tendo como referente um momento real da gênese do aparelho psíquico.[9]

A noção de *ligação* não é, porém, empregada por Freud de maneira unívoca. Algumas vezes é empregada com referência ao processo secundário e ao ego, outras vezes é utilizada para designar um mecanismo próprio ao processo primário e responsável pela estruturação das fantasias primárias.[10] É neste último sentido que ela é empregada no capítulo V de *Além do princípio de prazer.* Ali, Freud nos diz que a tarefa de sujeitar a excitação que atinge o processo primário caberia aos estratos mais elevados do aparelho psíquico, mas que, antes mesmo de haver uma dominância do princípio de prazer e do princípio de realidade, essa função é exercida pelo aparelho psíquico, "não em oposição ao princípio de prazer, mas independentemente dele e, até certo ponto, desprezando-o".[11] São essas ligações, anteriores à própria vigência do princípio de prazer, isto é, anteriores à transformação do prazer em princípio, que vão constituir um primeiro esboço de organização no Id.

Originalmente, o Id seria esse lugar psíquico ou essa multiplicidade de lugares psíquicos, onde a ligação introduziria uma primeira forma de organização. Mas se o Id já é uma instância psíquica, as pulsões são pré-psíquicas ou quase psíquicas. O que encontramos nesse Id arcaico não são as pulsões, mas seus representantes, sendo que cada representante é uma síntese ou uma ligação de excitações. Detenhamo-nos um pouco neste ponto.

Quando dizemos que o Id é uma instância psíquica e que a pulsão é pré-psíquica, nada mais estamos fazendo do que levar em consideração a advertência de Freud segundo a qual a pulsão é essa entidade mítica situada na fronteira entre o somático e o psíquico, e que ela jamais se faz presente no psiquismo, a não ser pelos seus representantes. Portanto, o que pertence ao registro psíquico são os representantes da pulsão e não ela mesma. Esses representantes primários é que vão constituir o Id. Assim, só de forma muito ampla podemos falar do Id como um "lugar psíquico". Id não é um conceito tópico, não designa propriamente um lugar, e se quisermos ser mais rigorosos, diríamos que designa mais propriamente um não-lugar.

A forma mais primitiva de relação entre a pulsão e seus representantes é a fixação ou inscrição, o que Freud vai chamar de recalcamento originário. Nesse momento, não há ainda "lugares psíquicos" (se por este termo entendermos os sistemas Ics, Pcs e Cs). Na verdade, a fixação é o primeiro delineamento desses lugares e a precursora e condição necessária do recalcamento propriamente dito.[12] A fixação à qual estamos nos referindo é, pois, a fixação da pulsão em seus representantes psíquicos, e que é correlativa da fixação da excitação nestes representantes. São os representantes da pulsão que a presentificam no psiquismo, ao mesmo tempo que delimitam suas instâncias, e isto se dá pela mediação do recalcamento primário. Mas enquanto o recalcamento posterior (ou recalcamento propriamente dito) "aparenta ser um processo essencialmente ativo, (...) a fixação parece de fato constituir um retardamento passivo",[13] da mesma forma como a primeira diferenciação a se produzir no Id é a de um eu passivo, ou a de uma pluralidade de eus passivos. São, portanto, as ligações e os investimentos que vão constituir esse ego arcaico.[14]

A ligação é, pois, essa síntese que opera a passagem de um estado de pura dispersão a estados parciais de integração ou organização no Id. Esta organização se faz sobre a excitação, que se torna elemento de uma repetição, e que já foi acompanhada de prazer ou de dor, antes mesmo que pudéssemos falar em vigência de um princípio de prazer. A rigor, essas organizações elementares são correlativas à instituição do princípio de prazer; ou melhor dizendo, correspondem a um além do princípio de prazer, isto é, à determinação das condições sob as quais o princípio de prazer se constitui. As primeiras ligações que limitam ou impedem o livre escoamento das excitações são sínteses passivas – reprodução e não repetição; tornam-se repetições diferenciais ou sínteses ativas apenas num segundo momento.

Ao falar do ego no *Projeto* de 1895, Freud refere-se a ele como uma diferenciação interna ao sistema de neurônios Ψ, cuja função é essencialmente inibidora, mas que não dispõe de uma prova de realidade. Esta seria fornecida pelos neurônios ω que informariam o ego em Ψ quanto à diferenciação entre percepção e lembranças.[15] As primeiras organizações passivas ou os vários egos passivos vão dar lugar a um ego ativo, sede dos processos secundários. Assim é que, em *Sobre o narcisismo* (1914), Freud nos diz que "uma unidade comparável ao ego não pode existir no indivíduo desde o começo; o ego tem que ser desenvolvido. As pulsões autoeróticas, contudo, ali se encontram desde o início (...)".[16] O eu que se forma inicialmente não é, contudo, o eu unificado e unificador que se formará posteriormente, mas esses eus parciais, sínteses passivas, correspondentes às primeiras ligações efetuadas sobre representantes pulsionais dispersos. As ligações não são portanto efetuadas pelo ego,[17] mas precondições do próprio ego.

Voltando à questão de que as pulsões são repetições, qual o sentido desta afirmação, se levarmos em conta que Freud, ao falar da pulsão em seu artigo de 1915, em nenhum momento assinala a repetição como sendo sequer uma de suas características?

O que sem dúvida alguma é marcado pela repetição é Eros, a pulsão sexual. Assim como o nosso primeiro encontro amoroso é já uma repetição, repetição de encontros que não foram vividos por nós, os demais encontros são também repetições. O sexual é o que se repete, nos diz Freud.

O que já vimos, porém, é que essa repetição jamais é desnuda, ela não aponta para um primeiro termo, mas está irremediavelmente constituída pelo jogo interminável das máscaras. Não possuímos uma sexualidade que é mascarada; a sexualidade é constituída pelas próprias máscaras. A sexualidade humana é, essencialmente, disfarce. Isto quer dizer que a repetição não é representação, a máscara não *representa* um objeto, ela *significa* algo. Esta é a razão pela qual Deleuze nos diz que a repetição, em sua essência, é de natureza simbólica.[18] Ora, isto significa, então, que antes de a pulsão constituir seus representantes psíquicos pelo recalcamento primário, ela não é pulsão sexual, pois é precisamente o diferencial prazer-desprazer que vai caracterizar o sexual, segundo Freud. Neste caso, não é absurdo afirmar que é o recalcamento originário que constitui a própria pulsão.

O recalcamento é o mecanismo ou a operação pela qual se instaura o jogo das máscaras, sendo que desse jogo a pulsão não participa diretamente, mas através de seus representantes. A repetição é, pois, o ato pelo qual a pulsão é presentificada, mas, ao mesmo tempo, o ato pelo qual ela permanece oculta. Assim é que Freud, no artigo *Recordar, repetir e elaborar*, acentua o fato de que o paciente, na repetição, não recorda alguma coisa que esqueceu, mas sim que ele *atua*.[19]

A questão que se coloca é qual a relação da repetição com o real. Vimos que a repetição aparece como ato, e sabemos que um ato é sempre humano, que não há *ato* animal, mas apenas *comportamento* animal. O que Lacan nos diz é que "um verdadeiro ato tem sempre uma parte de estrutura, por dizer respeito a um real que não é evidente".[20] E ainda: "O real é o que retorna sempre ao mesmo lugar – a esse lugar onde o sujeito, na medida em que ele cogita, não o encontra." O real é, portanto, essa presença silenciosa, à qual diz respeito toda a prática psicanalítica, e que transparece ou se faz presente pelas máscaras. As máscaras não ocultam o real, fazem-no aparecer. O real está além das máscaras, dos disfarces, dos significantes, está além do princípio de prazer. O real está além da repetição, não porque seja contrário a ela, mas porque a funda.

# 6. Pulsão de morte e pulsão sexual

Vimos no capítulo anterior que a noção de pulsão sexual encerra uma dificuldade: se nos colocamos, como sugere Lacan, nos dois extremos da experiência analítica – o recalcado primordial e a interpretação –, temos que a sexualidade se situa nesse intervalo ou, para empregar suas palavras, ela domina toda a economia desse intervalo.[1] É portanto em termos da rede de significantes que a sexualidade se constitui e em relação à qual podemos falar do desejo. Mas nesse caso, é enquanto pertencente à subjetividade ou à rede de significantes que a sexualidade diz respeito ao sujeito. Como então falar em *pulsão* sexual, se a pulsão é exterior a essa rede? Podemos falar em pulsão sexual da mesma maneira que falamos em desejo sexual? O sexual pode ser predicado tanto da pulsão como do desejo?

Claro está que a sexualidade só se realiza na medida em que é suportada pelas pulsões parciais, mas isto nos autoriza a falar dessas pulsões como sendo sexuais? O que confere às pulsões parciais o caráter de sexuais? O fato de serem parciais em relação à finalidade biológica da sexualidade, ou o fato de serem regidas pelo princípio de prazer? Deleuze nos diz que é pelas máscaras que a repetição se constitui; isto não elimina, porém, o fato de que essa repetição dissimula algo fundamentalmente determinante na função de repetição, que é o real. Nesse caso, teríamos duas repetições: uma no nível da rede de significantes, que não seria propriamente repetição, mas retorno (*Wiederkehr*) dos signos, e outra num nível mais profundo e dissimulado pela primeira, que seria da ordem do pulsional propriamente dito. A questão, portanto, é a seguinte: a pulsão que constitui o sexual é, ela própria, sexual? E se a repetição, no que ela tem de menos dissimulado, é o que nos aponta para o real, como fica a distinção pulsão sexual-pulsão de morte? Ou ainda: se o que de mais radical a repetição encerra é a repetição em si mesma, como sustentar a oposição pulsão sexual-pulsão de morte?

O que terá que ser repensado, acredito, é a concepção freudiana da pulsão de morte entendida como tendência de retornar ao inorgânico. A compulsão à repetição, que foi a princípio a única manifestação da pulsão de morte apontada por Freud, encontrava sua justificativa no fato de que contrariava o princípio de prazer, ou melhor, ela nos remetia para um "além do princípio de prazer", exatamente porque não encontrava sua justificativa no princípio de prazer, no fato de que nenhuma das instâncias psíquicas parecia se beneficiar dela. Assim sendo, ela nos remetia para algo mais primitivo e mais fundamental, que Freud identificou como sendo a pulsão de morte. No entanto, poucos anos depois da publicação de *Além do princípio de prazer*, Freud nos brinda com o pequeno artigo *A negativa* (*Die Verneinung*, 1925), no qual afirma não apenas que nem sempre o funcionamento do aparelho psíquico é regido pelo princípio de prazer, mas sugere ainda que a própria pulsão de morte pode e deve ser vista como um princípio positivo de constituição do psiquismo, e que esse papel positivo nada teria a ver com a hipótese um tanto metafísica de uma tendência ao inorgânico de que seria dotado todo ser vivo.

O que me parece mais problemático não é a postulação de uma pulsão de morte, mas sua identificação com a hipótese anterior, e isto porque a pulsão de morte não precisa ser vista como impulso para morrer. Podemos perfeitamente prescindir de Freud para afirmar que todo ser vivo morrerá um dia. Se a teoria de Weismann nos fornece a ilusão da imortalidade, não elimina, contudo, a nossa morte individual. Não me parece, portanto, que a grande revolução provocada por *Além do princípio de prazer* resida nessa verdade cotidiana, mas em algo que se refere ao nível propriamente teórico da construção freudiana. *Pulsão de morte* não é uma noção descritiva, mas um conceito explicativo ou uma hipótese metapsicológica, e enquanto tal acha-se indissoluvelmente ligada à *pulsão sexual*.

Essa dualidade pulsional, aliada à repetida afirmação de Freud do seu modo dualista de pensar, conduziu seus comentadores a uma distinção ontológica entre pulsão de vida e pulsão de morte. Assim, segundo eles, haveria desde o começo duas entidades distintas, cada uma impelindo o organismo vivo numa direção, algo análogo à dualidade afirmada por certas religiões entre as forças do bem e as forças do mal. No entanto, podemos respeitar a exigência dualista de Freud sem necessariamente cairmos num dualismo ontológico. Spinoza, três séculos atrás, já nos falava sobre uma dualidade (ou mesmo pluralidade) de *modos* que não implicava dualidade ou pluralidade substancial. Claro está que pulsão não é substância, mas nada nos impede de conceber "pulsão de vida" e "pulsão de morte" como *modos* de ser da pulsão. Apresso-me em dizer que nunca poderíamos conceber a *pulsão* simplesmente; ela sempre seria pulsão de vida ou pulsão de morte. O uso do termo *pulsão* isoladamente poderia, quando muito, obedecer a uma economia expositiva. A diferença em relação à concepção freudiana residiria no fato de que nenhuma pulsão seria, *em si mesma*, pulsão de vida ou pulsão de morte, mas que esta distinção resultaria da organização do campo pulsional.

Ao ser submetida ao simbólico e, portanto, sofrer o recalque originário, a pulsão se constituiria como pulsão sexual através de máscaras ou disfarces. Admitindo-se que o sexual, enquanto humano, só se dá nas e pelas máscaras, portanto já no nível do imaginário e submetido ao simbólico, não há como concebermos a sexualidade humana fora do simbólico. Mas neste caso, se o sexual pertence ao registro do imaginário, não é mais *pulsão* sexual, já que a pulsão, como nos disse Freud, não é da ordem do psíquico. "Pulsão sexual" seria, pois, uma contradição – se é pulsão, não é ainda psíquica, sendo anterior às máscaras que pertencem apenas a este último; se é sexual, é posterior à submissão ao simbólico e interno ao imaginário, não podendo ser considerada pulsão. Admitir o sexual como sendo uma característica inerente à pulsão, como que constituindo sua natureza, implica uma das duas hipóteses: 1) Que a pulsão pertença ao domínio do simbólico; ou 2) Que o sexual possa se constituir fora das máscaras e dos disfarces, isto é, fora do simbólico. Ambas as hipóteses parecem contrariar a teoria psicanalítica.

Uma metáfora da pulsão e sua diferenciação em pulsão sexual de morte pode ser constituída da seguinte maneira: imaginemos um espaço cósmico mergulhado na mais absoluta escuridão, onde nem mesmo a luz de algum astro distante se fizesse presente no campo visual. Imaginemo-nos soltos neste espaço portando uma possante lanterna unidirecional, com a qual esquadrinhamos o cosmo, com a condição de não voltarmos o foco contra nós mesmos. Numa situação dessas, apesar de estarmos com os olhos abertos e com a lanterna acesa, não veríamos absolutamente nada, nem mesmo o facho de luz emitido pela lanterna, já que não haveria partículas em suspensão ou atmosfera. Apesar de estarmos com os olhos abertos e com a lanterna acesa, nada veríamos, estaríamos na mesma situação que um cego. Suponhamos agora que um objeto qualquer, por "acaso", atravessasse nosso campo visual e fosse iluminado pela lanterna. Ele, ao mesmo tempo que se tornasse visível, denunciaria a existência do foco de luz e da nossa própria visão. Ora, se substituirmos o objeto pelo seio materno e o foco de luz pela pulsão, poderíamos dizer que o objeto, ao se constituir como figura, constituiu simultaneamente a pulsão como pulsão sexual. O sexual é o que se *con-figura* pela articulação entre a pulsão e um objeto capaz de funcionar em termos de diferencial prazer-desprazer. A pulsão de morte, na nossa metáfora, seria o próprio foco enquanto não relacionado a um objeto e, portanto, aquilo que permaneceria invisível e silencioso. Assim sendo, o que distinguiria a pulsão sexual da pulsão de morte seria o *investimento*. É enquanto investida num objeto que a pulsão se constitui como pulsão sexual, formando por contraposição a pulsão de morte como energia dispersa. Isso porém contraria o que foi dito anteriormente, isto é, que a concepção de uma pulsão sexual é aberrante, já que implica a existência do sexual fora do simbólico, o que, no mínimo, acarreta uma naturalização do sexual. A solução para o impasse poderia ser a de aceitarmos que os termos "morte" e "sexual", enquanto qualificando diferencialmente a pulsão, correspondem a *modos* de ser da pulsão e não a uma distinção ontológica. Neste caso, o "sexual" corresponderia à inscrição da pulsão num outro registro – o da realidade psíquica –, o que se daria através de seus representantes psíquicos e não em termos da pulsão em si mesma. E com isso, seríamos levados a concordar com Freud quando ele afirma que a pulsão de morte "é a pulsão por excelência".

Essa concepção, porém, corre o risco de transformar a teoria freudiana das pulsões numa teoria monista, contrariando o propósito de Freud. A própria metáfora empregada deixa claro esse risco. Se é o objeto que ao ser investido constitui a pulsão como pulsão sexual, *antes* do investimento haveria apenas a pulsão de morte. Rigorosamente falando, isto é verdadeiro, pois o que permanece imerso no acaso, o que não se configura como forma, como sentido, é o que pode ser considerado como rigorosamente pulsional. A pulsão de morte é, pois, a pulsão por excelência, "a primeira pulsão", como diz Freud.[2] No entanto, a questão não é assim tão simples, posto que é apenas do lugar da ordem, isto é, do lugar do sexual, que podemos falar em pulsão de morte. Antes da diferenciação pulsão sexual-pulsão de morte não podemos, a rigor, falar de pulsão. Não há esse "antes", ele só se dá no nível da nossa metáfora, e supor a existência desse momento fora do tempo, fora da ordem, fora do pensável, é algo que se reduz a um nome apenas: pulsão. Assim, pulsão é sempre pulsão sexual ou pulsão de morte; desde o início essas duas modalidades encontram-se juntas, "desde o início os fenômenos da vida podiam ser explicados pela ação concorrente ou mutuamente oposta dessas duas pulsões (...) As manifestações de Eros eram visíveis e bastante ruidosas (...) Deve-se confessar que temos uma dificuldade muito maior em apreender essa pulsão (de morte); podemos apenas suspeitá-la, por assim dizer, como algo situado em segundo plano, por trás de Eros, fugindo à detecção".[3] Voltarei a essa questão no capítulo seguinte.

Inicialmente, Freud abordou a questão do ponto de vista da repetição traumática. Qual é a função da repetição traumática? Se ela não serve ao princípio de prazer, se não atende às exigências de nenhum sistema psíquico, e se apesar disto apresenta-se com insistente regularidade, a que serve ela? Por que o paciente repete nos seus sonhos situações traumáticas? Freud sugere que estes sonhos teriam a função de dominar retrospectivamente o estímulo.[4] Lacan considera que a resposta é apressada ou, pelo menos, que lemos apressadamente a resposta sugerida por Freud: "Dominar o acontecimento doloroso, lhes dirão – mas quem domina, onde está aqui o senhor, para dominar? Por que falar tão depressa quando, precisamente, não sabemos situar a instância que se entregaria a essa operação de domínio?"[5]

Essa dominação não seria feita por um dos sistemas psíquicos, nem pelo psiquismo entendido como uma totalidade. Na verdade, ela nos remete a uma fase anterior à vigência do princípio de prazer, anterior ao momento em que os sonhos passaram a ser realização de desejos,[6] anterior ao psiquismo entendido como um conjunto de sistemas diferenciados.

Vimos, em capítulo anterior, que o aparelho psíquico começa a se constituir como um *aparelho*, isto é, como um conjunto de sistemas, a partir do momento em que a energia livre, proveniente de fonte pulsional, começa a ser *ligada*. É essa sujeição da energia livre, transformando-a em energia ligada, que vai passar a ser, daí por diante, a tarefa principal daquilo que Freud chama "os estratos mais elevados do aparelho mental". Uma vez feita a diferenciação do psiquismo em sistemas, caberá ao sistema Pcs/Cs sujeitar a excitação do Ics, o qual funciona como local de impacto da fonte pulsional. Essa energia livre tende à descarga e poderá provocar uma desestruturação do psiquismo se não for dominada e conduzida à descarga de forma adequada. Portanto, antes mesmo da dominância do princípio de prazer, o aparelho psíquico funciona no sentido de *ligar* a energia livre; ou, mais precisamente, o aparelho psíquico, enquanto "aparelho", é o *efeito* dessa ligação, posto que anteriormente a ela não podemos falar em nada que se assemelhe a um aparelho, uma organização, um sistema fechado.

Mas então, por que, posteriormente à constituição do aparelho psíquico com sua divisão em sistemas, o indivíduo continua a repetir experiências traumáticas de origem infantil? Freud responderá (não tão claramente como desejaríamos) que a repetição persiste porque a pulsão insiste. Volto, porém, à questão que levantei antes: qual pulsão insiste, a pulsão sexual ou a pulsão de morte?

Ambas, evidentemente, sendo que cada uma constitui um tipo diferente de repetição. Talvez a questão deva ser colocada de outra maneira: O que o homem repete, segundo a psicanálise? Em primeira instância, ele repete a sua infância. Tal como os mitos, que nos remetem aos começos (o tempo original de que nos fala Mircea Eliade), Freud nos remete ao nosso começo, à nossa infância concebida aqui como um destino; não um destino já inscrito *ab aeternitatae*, mas um destino inscrito *ab initio*. Esse começo, tal como o começo mítico, pertence a um outro tempo. Marcel Detienne[7] fala-nos do *aedo* do poeta da Grécia arcaica que, inspirado pelas musas, tinha acesso ao tempo original, ao tempo mítico dos começos. Esse tempo não é um tempo passado, assim como a memória do poeta não é uma memória psicológica; o poeta, no estado de êxtase, "vê" esse outro tempo como presente, ou melhor, ele presentifica o tempo e o espaço sagrados. As musas não lhe fornecem um relato dos feitos dos deuses e dos heróis, esses acontecimentos primordiais são "vividos" pelo poeta como presentes. O tempo sagrado é o tempo *aion*, feito de passado e futuro, que o presente do poeta contempla. De forma análoga, o começo que o psicanalista nos leva a contemplar, ou melhor, a repetir, não se apresenta como um passado cronológico. Não se trata de construir um relato fiel do passado psicológico de cada um de nós, mas de possibilitar um acesso a esse lugar mítico que está aí e que é vivido em contemporaneidade com nosso presente histórico.

Esse passado-presente é, porém, duplo: é o passado-presente do inconsciente, mas é também o passado-presente das pulsões. Se o inconsciente insiste, enquanto recalcado, em se tornar consciente, a pulsão insiste mais fortemente ainda investindo o próprio inconsciente. E poderíamos dizer mais ainda: que o inconsciente só persiste porque a pulsão insiste. É a pulsão que confere realidade ao inconsciente. A repetição do inconsciente só se faz nas e pelas máscaras, o mesmo acontecendo com a repetição que se dá no nível do pré-consciente/consciente. A repetição que se dá no nível da pulsão é de outra natureza, não é máscara, disfarce ou sentido, é *real*.

Creio que este é o momento de retomarmos uma questão que foi apenas insinuada anteriormente: *Pulsão* é corpo ou linguagem?

Dois milênios antes de Freud, os estoicos distinguiam dois tipos de coisas: corpos e acontecimentos. Apenas os corpos podem ser *causas*, os acontecimentos são *efeitos*. Assim, enquanto os corpos são misturas e estados de coisas, com suas tensões, suas qualidades, suas ações e paixões, os acontecimentos são efeitos de superfície, "incorporais", não possuem propriamente existência. Não são substantivos ou adjetivos, mas verbos (crescer, diminuir, cair, brilhar, correr, rir, são acontecimentos). Os acontecimentos não são agentes nem pacientes, assim como não são também qualidades de corpos. Enquanto os corpos são o ser profundo, força, os acontecimentos são efeitos dos corpos, efeitos não classificáveis entre os seres. Um acontecimento jamais pode ser causa de nada, não age nem padece, é impassível. No entanto, os acontecimentos não existem fora da linguagem que os exprime. Deleuze nos diz que "o acontecimento subsiste na linguagem, mas acontece às coisas".[8] Enquanto os corpos são o lugar das ações e das paixões, os acontecimentos-linguagem são o atributo de estados de coisas. Portanto, de um lado temos os corpos, de outro temos os incorporais (acontecimentos-linguagem); os primeiros são coisas, com suas qualidades físicas e relações reais; os segundos, como atributos lógicos, são efeitos impassíveis. Nossa questão é: O que são as pulsões – corpos ou acontecimentos-linguagem?[9]

Freud nos fala das pulsões como marcadas pelo acaso, anteriores à ordem e à lei. Poderíamos ser tentados, a partir disto, a identificá-las com os encontros de que nos fala Lucrécio – acaso puro, produtor de ordens secundárias. No entanto, Lucrécio nos fala da superfície dos acontecimentos e não da profundidade dos corpos, colocando-se de início no nível das máscaras, dos significantes, e não da pulsão. Os acontecimentos (ou a linguagem que é sua expressão) são "impassíveis", não são o lugar nem das ações, nem das paixões. Assim, a pulsão, enquanto real, é corpo ou diz respeito a corpos.

Mas nesse caso, não seria a pulsão redutível ao biológico? Não estaríamos retornando e negando o princípio desta exposição, quando afirmei tão enfaticamente a distinção entre pulsão e instinto? Não creio que assim seja, mesmo porque afirmar que a pulsão é corpo ou que diz respeito a corpos não significa que "corpo" seja aqui considerado enquanto corpo biológico. Mas então, de que corpo estamos falando? A resposta pode ser um tanto desconcertante, mas este corpo é o corpo enquanto submetido à cultura, à linguagem. Enquanto o discurso da biologia deliberadamente naturaliza o corpo humano para poder tratá-lo como coisa, o discurso psicanalítico vai pensá-lo enquanto imerso na cultura e como superfície de inscrição da história.

As pulsões enquanto corpo (ou como representantes do corpo, como prefere Freud) instituem o lugar do *real* em psicanálise. Este real não é um "dado", ele é, se quisermos, uma hipótese ou um suposto. Isto não o torna, porém, supérfluo; não nos habilita a fazermos um corte entre a pulsão e o inconsciente com o intuito de nos descartarmos do primeiro, como tendem a fazer alguns teóricos da psicanálise. Estes últimos, quando o fazem, se recusam a ouvir as palavras de Lacan quando afirma que, "mais do que qualquer outra prática, a psicanálise é orientada para aquilo que, no coração da experiência, é o núcleo do real",[10] ou ainda quando afirma que dizer que a pulsão é o real é dizer que ela está presente no centro da experiência psicanalítica, encarnando-a e, ao mesmo tempo, perturbando-a na sua dissimulada porém frequente contaminação cartesiana.

Mas de que real é esse que falamos? Não se trata da realidade psíquica (*psychische realität*) à qual Freud faz referência na *Interpretação de sonhos*.[11] Esta é identificada com o desejo inconsciente e com os fantasmas ligados a ele, enquanto que o real ao qual nos referimos antes nos remete para o registro da pulsão. Portanto, a pulsão é corpo não no sentido de ser um órgão, uma parte ou uma função do corpo, mas no sentido de ser um modo particular de o corpo se articular com a linguagem (ou com os objetos constituídos a partir desta). E como a pulsão se constitui como repetição? Ela não repete segundo uma lei a priori, também não repete uma ordem cósmica inexorável; o que a pulsão repete implica sempre o novo, é uma repetição que se dá no lugar do acaso.

## 7. O REAL E A PULSÃO DE MORTE

O REAL É CORPO OU DIZ RESPEITO a corpos. "Corpo" não deve ser entendido aqui como sendo, desde o início, uma totalidade estruturada formada de partes, mas como um conjunto aditivo de elementos que funcionam em termos do diferencial prazer-desprazer, sem nenhum princípio unificador a priori. Se, do ponto de vista biológico, este corpo é uma totalidade estruturada capaz, desde o início, de funcionar integradamente, o mesmo não ocorre quando o consideramos do ponto de vista psicanalítico. A pulsão diz respeito aos encontros desse corpo com o mundo ou, mais especificamente, aos seus encontros com objetos que também não se apresentam como formando parte de uma totalidade organizada (que seria o mundo). A pulsão não deve ser entendida, portanto, como uma propriedade do corpo, mas como algo que diz respeito ao modo de esse corpo se articular com os objetos. Quando Freud nos diz que inicialmente as pulsões são anárquicas, devemos entender por isto que elas não funcionam integradamente, que cada pulsão, isoladamente, articula uma parte do corpo com um objeto, e que esta articulação se faz em função do diferencial prazer-desprazer. O que há, nesse momento, é, pois, uma pluralidade de pulsões elementares, um estado de dispersão anárquica de energia.

Um estado de pura dispersão de energia, caos original de forças elementares, é evidentemente uma ficção que não corresponde a nenhum momento real. É apenas recorrentemente que podemos pensá-lo, ou seja, é do lugar da ordem que falamos nesse caos original, e este lugar assim como o discurso que a partir dele produzimos não podem ser neutros em relação ao caos-objeto desse discurso.

Em *Além do princípio de prazer*, Freud nos convida a imaginar um organismo vivo extremamente simples que é submetido ao impacto incessante de estímulos externos. Esse organismo acabaria por formar uma camada protetora que funcionaria como um escudo contra estímulos, evitando com isso a destruição de suas camadas mais profundas e a sua própria morte. Ocorre porém que, no caso do aparelho psíquico, as excitações são provenientes não apenas do exterior, mas também do interior do organismo, sendo que neste caso não há possibilidade de se erigir um escudo protetor, ou sua utilização é ineficaz em se tratando de excitações excessivamente intensas. Uma invasão desse tipo tem um efeito desagregador sobre o aparelho psíquico. Quando isso acontece, o princípio de prazer é colocado momentaneamente fora de ação e "surge o problema de dominar as quantidades de estímulo que irromperam, e de vinculá-las, no sentido psíquico, a fim de que delas se possa então desvencilhar".[1] A noção de trauma psíquico está ligada a essa concepção. O trauma seria o efeito, em nível psíquico, do rompimento desse escudo protetor e da invasão de quantidades excessivas de excitação.

O que podemos depreender do exposto anteriormente é que um sistema que funcionasse exclusivamente segundo a modalidade de energia livre não teria como se defender do excesso de estimulação e teria sua capacidade de sobrevivência reduzida. Na verdade, como já vimos, essa hipótese não é realizável concretamente. Uma pura dispersão de energia é impensável, e admitir um "aparelho" que funcione dessa forma é contraditório, já que o aparelho se constituiria, ele próprio, como uma contenção a essa dispersão.

Assim, não haveria sentido dizermos que o aparelho psíquico, em seu começo, teria por objetivo conter a livre dispersão de energia, porque não poderíamos, então, falar em *aparelho* psíquico. Este não é o que contém a energia, mas o que resulta dessa contenção. É a ligação (*Bindung*) da energia, isto é, sua transformação de energia livre em energia ligada, que vai constituir propriamente o aparelho psíquico. Dizer, como Freud disse, que no começo há apenas o Id não corresponde à afirmação da existência de uma instância ou um sistema psíquico original. "Id" significa apenas "isso", um não-lugar, um não-sistema, uma pura dispersão que, enquanto tal, é apenas uma ideia-limite, não correspondendo a um momento real do aparelho psíquico.

A dominância da energia livre corresponderia à dominância da pulsão de morte. Se por "energia livre" entendemos um estado de pura dispersão, ausência de ordem, inexistência de ligações, então "energia livre" e "disjunção" seriam análogas. Um sistema que funcionasse segundo a modalidade de energia livre não seria um sistema, posto que energia livre designa precisamente a ausência de sistema; a menos que se concebesse o sistema como algo externo a essa energia e às representações que ela investe, e neste caso, ou teríamos que admitir um sistema preexistente – uma espécie de alma ou espírito – ou que esse aparelho seria um aparelho anatômico, corporal, o que impediria que o concebêssemos como um aparelho *psíquico*.

Energia ligada e energia livre corresponderiam, dessa forma, à ordem e acaso, e poderiam ser também pensadas em termos de figura e fundo. Se procurarmos imaginar a gênese do aparelho psíquico no indivíduo, temos que admitir que é através das *ligações* que os primeiros conjuntos vão se constituir, sendo que o estado inicial de pura dispersão a que Freud se refere permanece como uma referência "mítica". O que pretendo dizer com isto é que esse caos original não se apresenta como um "dado inicial" que funcionaria como ponto de partida empírico para a construção teórica da psicanálise. Essa é a razão pela qual Lacan nos diz que a pulsão não está na base da teoria psicanalítica, mas no topo dessa teoria, isto é, que é algo ao qual chegamos pelo caminho teórico e não algo do qual partimos empiricamente.

O real da psicanálise não é, portanto, um dado, mas um suposto, opera como causa, mas só conhecemos os seus efeitos distorcidos: as máscaras. A ficção de um estado inicial anárquico, puro caos de pulsões parciais, estado mítico segundo Freud, não tem a mesma finalidade das narrativas míticas, não se propõe como uma concepção evolutiva da gênese do universo e também não pretende se situar no mesmo registro da cosmologia desenvolvida pelos físicos atuais; o objetivo aqui não é o de traçar a gênese do cosmo, a gênese da vida ou a gênese do psiquismo. Não é uma questão de gênese o que está sendo colocado. O caos a que nos referimos antes não diz respeito ao que se passou *in illo tempore*, mas ao que é atual. Trata-se menos de gênese do que de figura e fundo.

Em termos psicanalíticos, não seria possível falarmos num puro acaso. O real não se constitui como puro acaso nem como ordem absoluta, mas em termos do diferencial acaso-ordem: um fundo de acaso contra o qual se constituem ordens emergentes. Essa articulação figura-fundo não precisa ser pensada em termos evolutivos. Não se trata de imaginarmos um grande caos original a partir do qual emergiriam conjuntos mais ou menos estáveis até o ponto em que, banido o acaso, não haveria mais do que uma grande ordem. Ordem e acaso, assim como figura e fundo, não são duas realidades distintas, mas dois modos do real. Assim como é impossível percebermos um puro fundo ou uma pura figura, também é impossível concebermos um puro acaso ou uma ordem absoluta.

Temos aqui dois conceitos que pertencem a registros diferentes: o conceito de pulsão, conceito explicativo e especificamente psicanalítico, e o conceito de figura-fundo, produzido fora da teoria psicanalítica, num nível puramente descritivo e que procuraremos articular com o conceito de pulsão.

A noção de figura e fundo é evidentemente uma noção muito antiga, mas foi em 1915 que o psicólogo dinamarquês Edgar Rubin[2] trouxe-a para o primeiro plano da teoria psicológica. Ao apresentar uma descrição fenomenológica do campo perceptivo, Rubin nos diz que todo objeto sensível não existe senão em relação a um fundo, e que este permanece silencioso, invisível sob a figura, caracterizando-se como uma continuidade amorfa e indiferenciada mesmo quando é formado por objetos que fazem parte do nosso cotidiano. Assim, uma melodia destaca-se contra um fundo de vozes e de ruídos, da mesma forma que um objeto se destaca de um fundo constituído por outros objetos. Somos capazes de reproduzir a melodia, mas não o fundo contra o qual ela se apresentou. Mesmo sendo constituído de sons, o fundo é "silencioso", assim como os espaços entre os objetos são "vazios" ou "invisíveis". É dessa invisibilidade do visível que Freud nos fala em *O estranho* (*Das Unheimliche*) e que Lacan analisa em *A carta roubada*, de Edgar Allan Poe.

A noção de figura e fundo não pertence, porém, ao mesmo registro que o conceito de pulsão. Este último é um conceito dinâmico, enquanto que figura-fundo é uma noção descritiva. O que pretendo não é explicar a pulsão pelo diferencial figura-fundo, mas articular os dois conceitos de modo que esta articulação nos permita compreender a distinção entre pulsão de vida e pulsão de morte.

O que os psicólogos gestaltistas nos legaram foi a afirmação de que o campo perceptivo, por mais simples que seja, é constituído de figura e fundo. Perceber algo é perceber uma figura sobre um fundo, e esta não é uma característica contingente da percepção, mas algo que lhe é essencial. "A impressão pura", escreve Merleau-Ponty, "não é apenas não encontrável, mas imperceptível e, por conseguinte, impensável como momento de percepção."[3] Mas se percebemos sempre uma figura sobre um fundo, é apenas a figura que possui forma, coesão e individualidade. O caráter de "coisa" pertence à figura e não ao fundo. Este permanece indiferenciado. Esta indiferenciação permanece mesmo quando o fundo é constituído de objetos que, quando percebidos como figurais, são perfeitamente diferenciados. Apesar de os exemplos de organização do campo perceptivo serem em sua maioria tirados da percepção visual, a mesma organização figura-fundo ocorre na percepção auditiva, tátil, olfativa e gustativa. Tomarei um exemplo de percepção visual porque ele se presta particularmente ao que pretendo analisar a seguir. Trata-se do famoso exemplo de ambiguidade figura-fundo de E. Rubin: a taça e os dois perfis.

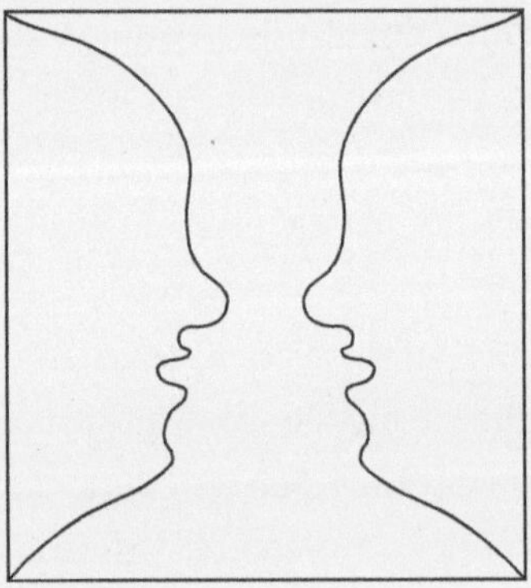

A figura acima pode apresentar-se como sendo o desenho de uma taça ou o de dois perfis. Ambos, taça e perfis, são perfeitamente nítidos e se apresentam alternativamente. Não há nenhuma possibilidade de percebermos simultaneamente taça e perfis. Se percebemos a taça como figura, o que corresponderia aos dois perfis transforma-se em fundo e perde inteiramente o significado de perfis. O fundo, inclusive, parece continuar por debaixo da figura. Analogamente, se percebemos os perfis como figurais, a taça transforma-se em fundo amorfo e desaparece. O contorno pertence sempre à figura. Assim, se percebemos os perfis, uma certa curva do desenho toma o significado de nariz; se percebemos a taça, o que antes era nariz transforma-se em curva da taça. Ora, o que acontece quando, por exemplo, percebemos os dois perfis? Acontece que a taça "morre" como taça; ela literalmente desaparece, perdendo a forma e o significado de taça e transformando-se num fundo amorfo, indiferenciado, silencioso e invisível. E no entanto nenhuma alteração foi introduzida no desenho, todos os traços que antes compunham a taça permanecem presentes. Tal como a carta roubada, de E.A. Poe, a taça permanece presente, porém invisível. Para que os perfis apareçam como perfis, é necessário que a taça desapareça como taça e que em seu lugar surja um espaço indiferenciado, amorfo, invisível, carente de ordem e de sentido. Ordem e acaso apresentam-se aqui como contrários complementares e não como duas realidades ontologicamente distintas.

Claro está que o exemplo gráfico é artificioso, que o real não é constituído por linhas que formam figuras ambíguas, e que a reversibilidade que aqui verificamos é excepcional. Mas é exatamente nesta excepcionalidade que reside a excelência do exemplo. Se mesmo numa situação na qual figura e fundo possuem a mesma intensidade verificamos a invisibilidade de uma delas quando se transforma em fundo, com muito mais razão isto acontece nos casos em que a figura é pregnante e não reversível. No entanto, os casos em que essa reversibilidade pode ocorrer facilmente são muito mais corriqueiros do que imaginamos. Se estamos numa esquina movimentada conversando com um amigo, o barulho do trânsito, apesar de ruidoso, transforma-se num fundo silencioso e indiferenciado, o mesmo acontecendo com as pessoas que passam e as outras vozes que compõem o burburinho da multidão. Mas se acontece de ouvirmos uma freada brusca e o barulho de uma batida, a voz do nosso amigo transforma-se em fundo e o acidente transforma-se em figura. Não seremos capazes de reproduzir, posteriormente, o que o nosso interlocutor continuou a falar quando se deu a batida, da mesma maneira que não conseguiríamos reproduzir o que estava acontecendo ao nosso redor quando estávamos conversando com ele.

O importante a destacar é que figura e fundo não correspondem a duas realidades que possuam existência independente, mas a uma mesma realidade que se apresenta sob dois modos. Além do mais, meu propósito não é o de analisar a questão da organização do campo perceptivo, nem o de fazer uma abordagem psicológica às questões psicanalíticas, mas sim o de pensar ordem e acaso de forma análoga à que fizemos com figura e fundo, e de procurar compreender, a partir deste diferencial, a oposição pulsão de vida-pulsão de morte que Freud estabelece em *Além do princípio de prazer*.

Se a pulsão sexual é, como nos diz Freud, ruidosa, se ela é pródiga em nos oferecer seus representantes psíquicos, e se por outro lado a pulsão de morte é silenciosa e teima em se ocultar, e se além disso a pulsão de vida age no sentido de constituir totalidades organizadas, enquanto a pulsão de morte age no sentido da desdiferenciação, não poderíamos dizer que a pulsão de vida representa a ordem enquanto que a pulsão de morte representa o caos-acaso? E mais ainda: não poderíamos também dizer que a pulsão de morte constitui esse fundo-acaso sobre o qual se diferencia a pulsão sexual como ordem-figura? Se assim for, o dualismo pulsional não possui nenhum matiz ontológico, mas resolve-se nesse dualismo estrutural figura-fundo. Neste caso, pulsão sexual e pulsão de morte são termos que designam, em nível dinâmico e econômico, o que em nível descritivo estamos chamando de figura e fundo ou ordem e acaso.

Vimos que a pulsão sexual se coloca, desde o início, no nível das máscaras, dos disfarces. Se assim for, ela encontra-se, desde os seus começos, submetida ao simbólico; a pulsão sexual e seus disfarces são uma só e mesma coisa. Não há portanto pulsão sexual anárquica, ela sempre se dá no lugar da ordem, apresenta-se sempre como figural. Mesmo a pulsão sexual autoerótica só é anárquica se comparada às organizações concebidas posteriormente por Freud. Pulsão sexual significa pulsão ordenada, mesmo porque se fosse anárquica não teria como nem por que ser chamada de sexual.

De certo modo, isto é o que nos diz Freud no capítulo V de *Além do princípio de prazer*. A vida teria surgido por acidente no seio da matéria inerte, "a tensão que então surgiu no que até aí fora uma substância inanimada se esforçou por neutralizar-se e, dessa maneira, surgiu o primeiro instinto: o instinto a retornar ao estado inanimado".[4] Este retorno era, de início, fácil de ser empreendido dada a instabilidade do ser vivo; no entanto, os sobreviventes, beneficiados por condições externas propícias, tiveram esse retorno mais retardado. Foi este prolongamento do retorno ao inorgânico que deu lugar aos instintos de conservação. "Instinto de conservação" nada mais é, portanto, do que o nome que Freud dá a esse caminhar organizado para a morte. A função destes instintos "é garantir que o organismo seguirá seu próprio caminho para a morte, e afastar todos os modos possíveis de retornar à existência inorgânica que não sejam os imanentes ao próprio organismo".[5] O sexual é uma ordem (ou uma pluralidade de ordens) instituída sobre um fundo pulsional anárquico. Vida é, em princípio, perturbação; e o que é perturbado é a quietude do inorgânico, espécie de paraíso perdido ao qual a própria vida tenderia. Assim, tanto a pulsão sexual como o instinto sexual seriam ordens emergentes a partir de um estado anárquico que seria a vida em seus começos. Já vimos, porém, que esse estado anárquico original é uma ficção, que tanto no nível da matéria inanimada quanto no nível da vida, esse estado de dispersão absoluta, de pura indiferenciação, é uma abstração que não corresponde a nenhum momento real. O que temos são diferentes modos de o real se organizar em termos de figura e fundo, e esta organização implica, evidentemente, o observador (ou, se quisermos, o ponto de vista do teórico). Não há pois uma pulsão de morte em si, que é o fundo, e uma pulsão de vida em si, que é a figura. O que ocorre é justamente o contrário: num campo pulsional constituído de figura e fundo, o que é fundo, por ser silencioso, invisível e sem forma, é chamado de pulsão de morte; enquanto que a figura, por ser diferenciada, por apresentar uma forma, é chamada de pulsão de vida. Não existem duas pulsões ontologicamente distintas, uma se apresentando sempre como fundo e outra como figura, mas sim um campo constituído de corpos-forças, no interior do qual o que é figura é chamado de pulsão sexual, e o que é fundo é chamado de pulsão de morte.

A questão que se coloca a partir daí é a seguinte: Se o sexual se constitui pelas máscaras ao formar as próprias máscaras, se ele é fundamentalmente da ordem da constituição subjetiva, então ele já se dá em nível psíquico, isto é, ele é a pulsão capturada pela subjetividade. Se assim é, a frase de Freud segundo a qual a pulsão de morte é a pulsão por excelência não encerraria a verdade da pulsão?

## 8. Morte e pulsão de morte

Qual a relação da pulsão de morte, enquanto conceito psicanalítico, com a morte, enquanto destino e possibilidade humanos?

Em primeiro lugar, e talvez acima de tudo, o silêncio com que ambos são marcados. No entanto, ao postular a pulsão de morte, não é da morte enquanto destino pessoal que Freud pretende falar. A pulsão de morte diz respeito sobretudo aos limites de validade do princípio de prazer; e seu referencial, pelo menos num primeiro momento, não é a morte individual e nem mesmo a destrutividade, mas a compulsão à repetição. A morte, ela mesma, mais ainda do que a pulsão de morte, assinala o limite da nossa experiência e o limite do próprio discurso. A morte como limite é o *muro* de Sartre, o que não pode ser experimentado porque assinala o fim da própria experiência – pelo menos da experiência humana. Poderíamos argumentar que, se a experiência da nossa própria morte é impossível, podemos pelo menos ter a experiência da morte do outro. No entanto, tal experiência é também impossível; quando muito podemos ter a experiência dos últimos momentos da vida do outro, mas não podemos ter a experiência do seu próprio morrer. Portanto, entre a morte, enquanto possibilidade última da existência de cada um de nós, e a pulsão de morte, enquanto hipótese metapsicológica, há uma considerável diferença. No entanto, ambas são recobertas pelo silêncio. Assim como não podemos falar nada da morte em si mesma, também a pulsão de morte permanece silenciosa. Isto não quer dizer, porém, que ambas não se façam presentes na vida; em torno delas construímos nossos fantasmas, nossos mitos, nossas religiões. Em torno da morte construímos, sobretudo, nossas ilusões.

É a partir do artigo de 1925 – *Die Verneinung* – que o conceito de pulsão de morte sofre uma transformação radical, e isto não apenas em relação ao seu conteúdo, mas também no que se refere ao seu lugar na teoria psicanalítica. Uma das novidades deste artigo – e elas são muitas – reside no fato de Freud apresentar uma concepção das pulsões e do funcionamento psíquico que não é mais dependente exclusivamente do princípio de prazer, além de não mais se adequar ao modelo homeostático defendido cinco anos antes em *Além do princípio de prazer.*

Dificilmente uma análise desse texto pode ser feita sem se levar em conta uma outra, empreendida em 1954 por Jean Hyppolite, a convite de J. Lacan, em seus seminários sobre Freud.[1] Hyppolite inicia seu comentário propondo a tradução de *Verneinung* para *denegação* (ao invés de "negação" ou "negativa"). A *Verneinung*, segundo ele, é uma forma de se apresentar o que se é no modo de não sê-lo – "Agora o senhor vai pensar que quero ofender-lhe, mas não tenho essa intenção" ou "O senhor pergunta quem pode ser essa pessoa no sonho. *Não* é minha mãe." Pelo juízo de negação, o que ocorre é a suspensão (*Aufhebung*) do recalcamento, sem que isto implique uma aceitação do recalcado[2] e isto é possível pela separação entre o intelectual e o afetivo. O juízo de negação é assim "o substituto intelectual do recalcamento",[3] sendo que a rigor não deveríamos falar em separação entre o intelectual e o afetivo, mas em gênese do intelectual pelo juízo de negação. É neste ponto que Hyppolite chama a atenção para o fato de que aquilo que Freud está nos oferecendo nessa passagem é uma hipótese sobre a própria gênese do pensamento a partir da denegação. O intelectual resulta pois dessa suspensão (*Aufhebung*) presente na função de denegação, através da qual o recalcamento é suspenso mas não eliminado, posto que o conteúdo permanece negado. Hyppolite pergunta, modestamente, se este não seria o caminho para entendermos a sublimação.

Essa gênese do pensamento fica mais bem-entendida se considerarmos o que ocorre quando o analista denuncia para o paciente aquilo que este último pretende com sua atitude de denegação. Se o paciente aceita a denúncia do analista, ele desdiz sua denegação, isto é, realiza uma negação da negação. No entanto, a afirmação que daí resulta é uma afirmação puramente intelectual; ou melhor, esta afirmação intelectual surge precisamente pela negação da negação, o que a distingue da afirmação original (afetiva) que, por não poder (ainda) ser protegida pela denegação, tem que ser recalcada. Antes, portanto, da aquisição da linguagem (e da possibilidade de dizer "não"), a criança permanece dominada pelo "sim" do afetivo primordial que não possibilita um afastamento em relação à sua própria vivência pela linguagem. Claro está que este afetivo primordial não é um afetivo puro, posto que faz sua emergência "no campo distintivo da situação humana",[4] e é nesta medida que Hyppolite fala não em gênese psicológica, mas em gênese histórica (ou mesmo mítica) do pensamento. O "afetivo puro" é uma abstração; opor o afetivo puro a um intelectual puro só é possível se deixarmos de lado o fato de que mesmo o mais primitivo dos nossos atos já se dá no interior do simbólico e é por ele marcado.

Freud articula nesse artigo o ato de julgar com os mecanismos de expulsão e introjeção e com a pulsão sexual e a pulsão de morte: "Julgar é uma continuação, por toda a extensão das linhas de conveniência, do processo original através do qual o ego integra coisas a si ou as expele de si (...)."[5] Apesar de os mecanismos de expulsão e introjeção obedecerem ao princípio de prazer, o juízo de negação, por se fazer através do simbólico, consegue fugir à compulsão do princípio de prazer. O juízo de afirmação ou de negação está, em geral, relacionado a duas situações diferentes. Numa, ele afirma ou nega a posse de algo; noutra, ele afirma ou nega a existência na realidade de algo que se refere a uma representação. No primeiro caso, trata-se de incorporar ao ego algo que é vivido como bom, ou de expulsar algo que se apresenta como ruim; no segundo caso, trata-se também de uma questão que diz respeito ao interno e ao externo, mas não mais sob o ponto de vista do bom e do ruim e sim do ponto de vista do real e do irreal. Neste caso, o princípio de prazer não é mais o determinante.[6]

Essa gênese do interior e do exterior que Freud tenta traçar em *A denegação* já se insinuava desde o artigo *Formulações sobre os dois princípios do funcionamento psíquico* (1911), no qual ele introduz a oposição entre o ego-prazer e o ego-realidade, para falar da relação do indivíduo com o mundo exterior e mais particularmente das relações entre as pulsões e o ego. É em *As pulsões e suas vicissitudes* (1915), no entanto, que a distinção é feita no sentido de opor o ego ao mundo exterior – oposição sujeito-objeto: o sujeito coincidindo com o que é agradável, e o mundo exterior com o que é indiferente. Em *A denegação*, ele retoma o mesmo ponto de vista: "(...) o ego-prazer original deseja introjetar para dentro de si tudo quanto é bom, e ejetar de si tudo quanto é mau. Aquilo que é mau, que é estranho ao ego, e aquilo que é externo são, para começar, idênticos."[7] Esse processo de introjeção e expulsão é correlativo do processo de constituição do ego e do objeto, e se faz pela ação tanto da pulsão de vida (enquanto pulsão de unificação) quanto da pulsão de morte (enquanto pulsão de desunião).

Hyppolite nos diz que "a afirmação primordial não é outra coisa que afirmar; mas negar é mais do que querer destruir".[8] Há pois uma afirmação primordial que corresponde à forma primeira de relação da criança com a mãe, relação esta que é chamada "afetiva" e que é puramente afirmativa na medida em que é expressão direta do pulsional, anterior a qualquer forma de recalque. Vimos que esta afirmação primordial, enquanto afirmação pura, puro estado afetivo e indiferenciado, é um momento mítico, não correspondendo a nenhum momento observável clinicamente.

Em seguida, há uma negação dessa afirmação sob a forma do recalque original. No entanto, essa negação não é exercida pelo sujeito, mesmo porque o sujeito é o que vai resultar dessa negação e não o que a exerce. A fonte desse recalque é a exterioridade (a mãe) enquanto produtora de inscrições (*Niederschrift*) que fixam a pulsão ao representante ideativo. É preciso não esquecer a observação de Hyppolite segundo a qual mesmo a relação afetiva primordial já está situada "no campo distintivo da situação humana". Portanto, dialeticamente falando, essa primeira negação corresponde à negação da afirmação, e enquanto esta última (a afirmação) não é produtora de diferenças, a negação dá lugar a uma disjunção primeira que é vivida pela criança em termos do diferencial interior-exterior. No entanto, não há ainda aqui a "criação do símbolo de negação".[9] A diferenciação é puramente corporal. Introjetar o que é vivido como prazeroso e expulsar o que é vivido como desprazeroso e estranho é o primeiro mecanismo defensivo de que o *infans* lança mão. Toda introjeção é uma forma de reintrojeção, já que a operação de introjeção só tem sentido se ela for precedida de uma expulsão, posto que para o *infans*, em seus momentos mais arcaicos, nada havia de estranho (e portanto de externo). É a expulsão que funda o externo (e correlativamente o interno). Assim, o primeiro momento mítico indiferenciado é rompido pela expulsão, cujo sucessor será o juízo de negação. Essa primeira negação – a que distingue o exterior do interior – não é, porém, ainda um juízo, mas sim o aparecimento da negação em sua função simbólica. Por detrás dela está o mito da indiferenciação original.

O que temos presente aqui sob a forma de expulsão e atração são as duas pulsões primevas: a pulsão de morte e a pulsão sexual. "A afirmação – escreve Freud –, enquanto substituto da união, pertence a Eros; a negativa, o sucessor da expulsão, pertence à pulsão de destruição."[10] Há na afirmação de Freud uma evidente dissimetria entre a afirmação e a negação: enquanto a primeira é um substituto da união, a segunda é o *sucessor* da expulsão, isto é, algo que resulta ulteriormente da expulsão. Há portanto uma primeira negação que se opõe à afirmação original, e posteriormente há uma segunda negação que é negação da negação (ou denegação), que se constitui como uma afirmação intelectual. Pela denegação, dá-se uma suspensão (*Aufhängen*) do recalcamento, de modo que o recalcado possa, intelectualmente, ter acesso à consciência sem que isto implique sua aceitação, ou seja, o recalcado ressurge "sob a forma de não sê-lo".[11]

É, pois, pela ação da pulsão de morte que se dá a separação e a constituição do objeto. O que até então era visto como algo puramente negativo – a pulsão de morte – passa a ser considerado como um princípio de constituição do objeto e responsável pela estruturação do psiquismo. O que temos aí articulados são pares de opostos complementares: interior-exterior, introjeção-expulsão, afirmação-negação, fusão-desfusão, pulsão de vida-pulsão de morte.

A constituição do psiquismo infantil é função desses pares de opostos. Voltando ao artigo de 1911 – *Formulações sobre os dois princípios do funcionamento psíquico* –, nele Freud afirma que uma organização psíquica regida exclusivamente pelo princípio de prazer, e portanto desconhecedora da realidade, tem escassas possibilidades de sobreviver. Uma organização psíquica deste tipo visa única e exclusivamente à satisfação, e esta é obtida alucinatoriamente. Podemos dizer, porém, que esta satisfação alucinatória é tornada realidade pelo oferecimento do seio materno. Tudo acontece como se a alucinação invocasse um seio, tal como o primitivo invoca os seus deuses, e esta invocação produzisse o efeito desejado. Dessa forma, a alucinação não permanece alucinação, posto que o seio real vem cobrir a falta. Ora, se as coisas continuassem a ocorrer dessa forma, não haveria possibilidade de a criança distinguir entre o seio que a mãe lhe oferece e seu próprio corpo.[12] O seio enquanto objeto fantasmático e o seio real confundem-se nessa organização psíquica regida apenas pelo princípio de prazer. É, pois, a perda do objeto que vai funcionar como prova de realidade, e Freud nos diz, em *A denegação*, que a perda de objeto, a separação original, ocorre em função da ação da pulsão de morte como pulsão de desunião. Enquanto a criança não é ainda capaz de distinguir entre o seio que a mãe lhe oferece e o seu próprio corpo, ela se constitui como um sistema fechado no interior do qual é impossível a distinção sujeito-objeto. Esse sistema fechado somente será rompido quando ocorrer a ausência de satisfação, o que provocará a desilusão e a renúncia à satisfação pela via alucinatória. O aparelho psíquico é compelido então a reconhecer a existência de uma exterioridade, o que o obrigará a uma mudança real através da introdução de um novo princípio de atividade psíquica: o princípio de realidade. Não se trata mais agora de distinguir o agradável do desagradável, mas o real do alucinado.[13]

Essa mudança operada no plano do funcionamento psíquico é que R. Dorey[14] identifica com o processo de perda do objeto, isto é, com a experiência da separação original. Também aqui, a experiência é marcada pela *repetição*, pois o que Freud nos diz é que o objetivo primeiro e imediato da prova de realidade não é encontrar um objeto que corresponda à representação, mas *reencontrar* tal objeto. "Contudo, é evidente que uma precondição para o estabelecimento do teste de realidade consiste em que objetos, que outrora trouxeram satisfação real, tenham sido perdidos."[15] Esse processo, assim como o ato de julgar, depende da ação recíproca das pulsões primárias e particularmente da pulsão de morte, na medida em que é ela a responsável pela disjunção.

Assim como é a mãe que oferece o seio à criança, fundando com isto a relação amorosa e iniciando uma nova série em relação à qual ela é o elemento intermediário, é ela também que lhe recusa o seio, produzindo a frustração da satisfação. Essa dupla separação – a da criança em relação ao seio e a da mãe em relação ao filho – é sugerida por Freud como sendo devida à ação da pulsão de morte enquanto princípio de disjunção.

A questão que Dorey coloca em seu artigo é como conciliar essa ideia da pulsão de morte como princípio de estruturação do psiquismo e a hipótese de Freud segundo a qual ela deve ser entendida como uma tendência ao inorgânico, isto é, à redução completa da tensão. Dorey considera que as duas ideias são perfeitamente compatíveis. Nesse caminho em direção à redução completa das tensões, diz ele, o aparelho psíquico produz algo que não estava programado, isto é, a constituição do objeto. Dessa forma, a homeostase, que era o objetivo último da articulação da pulsão de vida com a pulsão de morte, teria sido ultrapassada pelo surgimento da diferenciação sujeito-objeto.

Claro está que o interesse em se assinalar a compatibilidade entre essas duas ideias é uma função da manutenção da pulsão de morte entendida como tendência ao inorgânico. Sem dúvida, quando Freud falou em tendência a retornar ao estado inorgânico, o que ele tinha em mente era o retorno da substância viva à matéria inanimada, à substância não viva. "Morte" aqui era tomada em seu sentido literal, e "pulsão de morte" designava o caminho natural para a morte, destino inevitável de todo ser vivo. No entanto, se entendermos "pulsão de vida" e "pulsão de morte" não como duas realidades ontologicamente distintas, mas como componentes de um campo de forças que se estrutura em termos de figura e fundo, podemos prescindir da hipótese metafísica de um retorno ao inorgânico. Se fizermos questão, podemos até manter a identificação da pulsão de morte com o retorno ao inorgânico, só que "inorgânico" não seria mais identificado com a matéria inerte, mas com o fundo inorganizado contra o qual se constitui a figura que é a "pulsão" sexual.

Com a oposição entre pulsão de vida e pulsão de morte colocada em termos de figura e fundo, ficaria também deslocada a questão do acaso e da ordem. Assim como não poderíamos mais falar em acaso puro, também não poderíamos mais falar em ordem absoluta. Apenas, a questão do acaso e da ordem não diria mais respeito à possibilidade de um campo pulsional ser ou não ser organizado. Ele *sempre* é organizado em termos de figura e fundo. O acaso passaria a dizer respeito a quais elementos constituiriam a figura e quais permaneceriam como fundo, e como se daria a alternância entre ambos. Não haveria, pois, originalmente, a pulsão de morte identificada ao caos original, estado de pura dispersão de energia e, em seguida, o surgimento de uma ordem que se identificaria com a pulsão sexual. O mesmo gesto que instaura a pulsão sexual instaura também a pulsão de morte. Esta nada mais seria do que o fundo não organizado subjacente às máscaras. "Se, portanto, não quisermos abandonar a hipótese das pulsões de morte, temos que supor que estão associadas, desde o início, com as pulsões de vida."[16]

## 9. Mitos cosmogônicos e dualismo pulsional

Desde o início deste trabalho estamos lidando com ideias que, enquanto ideias-limite, apontam para os mais variados campos do saber, nem todos portadores dos emblemas que distinguem os saberes científicos. Caos e ordem, vida e morte são temas que não pertencem com exclusividade a nenhuma área do saber, e sem dúvida alguma não é no interior da ciência que eles se sentem mais à vontade. E Freud sabia disto, daí o apelo tão frequente à literatura e ao mito que ele faz em seus escritos. Esse apelo não implica um desprezo pela ciência, mas um reconhecimento de sua parcialidade e de suas limitações, por um lado, e por outro, a crença de que tal como o psiquismo humano, a ciência possui também o seu inconsciente, e que o discurso desse inconsciente é o mito. Numa carta em resposta a Albert Einstein quanto ao ponto de vista da psicanálise sobre a guerra, Freud escreve o seguinte: "Talvez ao senhor possa parecer serem nossas teorias uma espécie de mitologia e, no presente caso, mitologia nada agradável. Todas as ciências, porém, não chegam, afinal, a uma espécie de mitologia como esta? Não se pode dizer o mesmo, atualmente, a respeito de sua física?"[1] A "mitologia nada agradável" a que Freud se refere é sua teoria sobre a pulsão de morte.

Para um epistemólogo, essa mistura de ciência, literatura e mito pode ser vista como um sintoma de grave contaminação e ameaça à pureza do discurso científico; Freud, porém, não era um purista em matéria de epistemologia e frequentemente colocava-se mais na posição do sábio do que na do cientista, ou melhor, compreendia que o cientista, se se pretende criador, tem que romper com os limites impostos pela ciência do seu tempo. Surpreendentemente, porém, quando Freud rompe esses limites, nem sempre o faz no sentido de conduzir-nos a um futuro que está para além dos nossos horizontes, mas para levar-nos de volta a um passado remoto já esquecido. Assim é que num dos seus últimos textos – *Análise terminável e interminável* (1937) – ele nos remete a Empédocles de Agrigento, no século V a.C. Por que tão longe e por que Empédocles?

Empédocles é um pensador fortemente influenciado por Parmênides e por Pitágoras, e nos deixou fragmentos de dois grandes poemas: *Da natureza* e *Purificações*. Enquanto o primeiro nos oferece uma visão física do universo, o segundo trata fundamentalmente da imortalidade e da transmigração das almas. Empédocles foi alvo de severas críticas por parte dos comentadores da filosofia, que apontavam a contradição dos pontos de vista expressos em seus poemas. No entanto, essas críticas perderam sua força sobretudo a partir das análises empreendidas por Cornford,[2] para quem "a primeira condição para compreender Empédocles é banir a noção de que havia qualquer fosso entre suas crenças religiosas e suas noções científicas. A sua obra constitui um todo, no qual estão indissoluvelmente ligadas a religião, a poesia e a filosofia".[3] Na obra poética de Empédocles não podemos separar o que é o discurso do filósofo, o misticismo do poeta-profeta e a experiência do médico que tanto curava o corpo como purificava as almas. Esse pensador, reverenciado por Lucrécio como o maior dentre os cosmólogos da Antiguidade e considerado pelos seus contemporâneos um ser sobrenatural, foi o único a ser distinguido por Freud.

É fácil atribuirmos essa simpatia à semelhança que existe entre as doutrinas de Freud e Empédocles, relativa ao papel desempenhado pelas duas grandes forças responsáveis pelo devir cósmico: o Amor (*Philia*) e a Discórdia (*Neikos*) em Empédocles, e Eros e Tanatos em Freud. Para Empédocles, o Cosmo é constituído por quatro substâncias originais – Fogo, Ar, Terra e Água – que permanecem sempre distintas, mas que se combinam em proporções variadas formando todas as coisas. Nada há além dessas quatro substâncias, nem mesmo o vazio, sendo a mudança um mero rearranjo entre os elementos segundo a ação de duas forças motoras – o Amor e a Discórdia – concebidas como forças de união e de desunião entre os elementos. O devir cósmico é cíclico e eterno e se completa cada vez que uma das polaridades (Amor ou Discórdia) atinge seu ponto máximo de dominação. Assim, sob o domínio do Amor há uma união de todas as coisas, formando uma mistura tão uniforme dos quatro elementos que seria impossível distinguirmos nela alguma coisa; sob o domínio da Discórdia, os elementos estão completamente separados uns dos outros. Na análise que fazem do poema de Empédocles, Kirk e Raven[4] assinalam que o Amor e a Discórdia não são concebidos pelo filósofo como forças meramente mecânicas, mas que essas mesmas forças são as que determinam o devir cósmico e as que atuam sobre as pessoas, isto é, que o amor sexual e o amor cósmico são uma só e mesma força (o mesmo acontece, evidentemente, com a Discórdia).

Podemos imaginar o quanto Empédocles despertou o interesse de Freud, dada a semelhança existente entre as concepções de ambos quanto ao papel desempenhado pelas duas forças em suas doutrinas. "Os dois princípios fundamentais de Empédocles", escreve Freud, "são, tanto em nome quanto em função, os mesmos que nossas duas pulsões primevas, Eros e destrutividade, dos quais o primeiro se esforça por combinar o que existe em unidades cada vez maiores, ao passo que o segundo se esforça por dissolver essas combinações e destruir as estruturas a que elas deram origem."[5]

Creio, porém, que podemos encontrar um parentesco mais profundo entre os dois pensadores, além daquele que se baseia na semelhança entre o Amor e a Discórdia do primeiro, e a pulsão sexual e a pulsão de morte do segundo. Um comentário de Cornford em seu texto sobre a filosofia grega nos ajudará neste sentido. Diz ele que "os livros sobre psicologia têm sido escritos, na maior parte, por filósofos e homens de ciência cujos hábitos mentais não são muito compatíveis com a imaginação poética (...) Não é prudente, sequer verdadeiramente científico, pôr de parte, como fruto da imaginação ociosa ou superstição ultrapassada, a experiência dos grandes poetas só porque ela está além do alcance do homem comum e não pode ser traduzida em termos do que ele chamaria uma 'explicação'".[6] Ora, a obra de Freud nos remete frequentemente para essa "imaginação poética" e para a visão mítica do mundo, e isto sem prejuízo da explicação científica, mas sugerindo que esta última se prolonga nas primeiras. Num dos seus primeiros textos – *A psicopatologia da vida cotidiana* (1901) – declara acreditar "que uma grande parte da visão de mundo mitológico (...) nada mais é do que psicologia projetada no mundo externo",[7] o que significa aceitar que o mito é uma espécie de inconsciente da ciência e que é possível, em decorrência disto, "transformar metafísica em metapsicologia".[8]

Mas se Freud supõe essa continuidade entre o mito e a ciência, por que teve ele de ir tão longe? Por que Empédocles?

Podemos apontar pelo menos dois motivos: primeiro, pela indiscutível semelhança que há entre ambos quanto às forças que atuam no indivíduo; segundo, pelo fato de Empédocles ser um pensador pré-socrático. Este segundo motivo é, a meu ver, tão importante quando o primeiro, posto que "pré-socrático" designa, dentre outras coisas, um pensamento que é anterior ao discurso conceitual pregado por Platão. A filosofia "pós-socrática" implica o aprisionamento do pensamento pela razão conceitual e a recusa da palavra poética, considerada, a partir de então, como supersticiosa. O discurso filosófico se constitui por um progressivo afastamento do mito e da poesia, em direção à ciência. O que Freud estaria nos dizendo é que a filosofia e a ciência recalcaram seu passado mitopoético e que a psicanálise, coerente com seus princípios, teria todo o direito de recorrer ao mito e à poesia na procura de sua verdade. Recorrer a um filósofo "pós-socrático" (ao invés de um pré-socrático) seria permanecer dentro do mesmo referencial científico que marca a psicanálise enquanto teoria conceitual; o inconsciente da ciência não poderia ser encontrado no lugar do recalcador, mas no lugar do recalcado, isto é, num lugar anterior ao ocupado pelo Sócrates platônico.

No entanto, parece-me que o essencial da questão ainda nos está escapando. O que, de fato, pretende Freud ao recorrer ao mito, à religião, à literatura? Estaria ele nos dizendo que para além daquilo que a ciência consegue abarcar existe a região do mistério? Neste caso, "mistério" seria um outro nome para "acaso" ou apontaria para outra ordem distinta da ordem científica?

E retornamos, assim, à nossa questão inicial: a do acaso e da ordem. Claro que Freud não propõe a questão em toda a sua extensão, mas apenas na medida em que ela se inscreve no âmbito do saber e da prática psicanalíticos. Não é para o Universo em sua totalidade que ele lança o seu olhar, mas para o homem enquanto indivíduo concreto. No entanto, mesmo tendo em vista os atos humanos, ele admite ou mesmo insiste no fato de que a psicanálise deve beneficiar-se do recurso ao mito, à religião e à literatura. Numa nota de rodapé acrescentada em 1924 à *Psicopatalogia da vida cotidiana*,[9] Freud cita uma história contada por N. Ossipow que pode nos ajudar a responder a questão anterior.

O narrador conta que, após ter-se casado numa pequena cidade do interior da Rússia, empreendeu uma viagem de trem a Moscou com sua esposa. Numa estação intermediária, ele sentiu o desejo de lançar um olhar sobre a cidade, e como o trem ficaria parado algum tempo, desceu e foi até o portão da estação, deixando a esposa no vagão. Ao voltar, verificou que o trem já havia partido, levando sua esposa. Comentando depois o incidente com sua velha empregada, esta declarou profeticamente: "Esse casamento não vai dar certo." Passados cinco meses, ele se separou da esposa. Recordando a profecia da empregada, argumentou consigo mesmo que o fato de ter descido do trem já era um protesto inconsciente contra aquele casamento. Anos mais tarde, ele vem a ligar-se a uma pessoa que vivia precisamente na cidade em que ele descera do trem. Se a explicação psicanalítica encara o acontecimento como uma parapraxia e remete-o a um desejo inconsciente, uma explicação mística diria que o seu destino já estava traçado e que o acontecimento seria um sinal de um futuro inevitável.

Por mais diferentes que possam ser, ambas as "explicações" apelam para um mesmo referencial: uma ordem determinante dos acontecimentos. Não há lugar para o acaso em nenhuma das duas inteligibilidades. Poderíamos argumentar que isto é verdadeiro para a explicação mística, mas não para a psicanalítica, pois se é certo que a descida do trem pode ser atribuída a uma "recusa inconsciente" ao casamento, esta mesma recusa não explicaria por que a outra relação afetiva teria que se dar naquela mesma cidade, ou mesmo o porquê de a nova pessoa ter sido a que foi e não qualquer outra. É verdade que, ainda do lugar da psicanálise, poderíamos afirmar que o fato de ter voltado àquela cidade e ter casado com uma moradora do lugar seria ainda uma forma de realizar seu desejo inconsciente e que portanto todos os fatos descritos se inserem numa cadeia significante. Ou seja, tendo acontecido os fatos B e C (voltar à cidade e casar-se), posso articulá-los ao ato A (descida do trem) e encontrar uma mesma determinação inconsciente para os três, *mas isto só pode ser feito recorrentemente*. E nisto parece residir o ponto central da nossa questão. Quando Freud afirma que todos os fenômenos psíquicos são determinados, isto não implica que, *a priori*, possamos dizer o que vai acontecer, mas sim que, uma vez tendo acontecido algo, possamos remetê-lo a uma série determinante.

Se essa recorrência é possível, é porque há uma ordem abarcante que exclui o acaso. O recurso ao mito, à religião e à literatura não seria um reconhecimento por parte de Freud de uma região do real que permaneceria imersa no mistério, mas a tentativa de estender a racionalidade para além dos limites estreitos do discurso científico. Afirmar, como ele o fez, que o mito seria como que o inconsciente da ciência não é reconhecer o lugar do mistério, mas afirmar a racionalidade do mito. O mito, tal como o inconsciente, está no lugar da ordem e não na dispersão do acaso. Se recorrentemente podemos revelar a verdade que já estava presente nos começos, é porque nada escapa à razão.

A questão que se coloca não é a de Freud ser ou não um racionalista. Ele indubitavelmente o é. A questão que me parece pertinente, no caso, é se há algum conflito entre o Freud racionalista e um outro Freud para quem a razão recuaria frente ao mistério.[10] Não creio que a questão seja facilmente respondida se tomarmos a obra de Freud em toda a sua extensão, mas me parece que em *Além do princípio de prazer*, texto que comumente é apontado como "especulativo", esse conflito não existe.

De qualquer forma, mesmo considerando-se a obra de Freud em seu conjunto, creio que podemos afirmar que o fio condutor é a noção de *verdade* considerada como *desvelamento*, o que a coloca, como assinala Hyppolite, no mesmo registro da *Fenomenologia do Espírito* de Hegel.[11] E o recurso à tragédia de Édipo é aqui exemplar. A experiência da consciência não se faz no sentido de "produzir" uma verdade a partir de uma matéria-prima inconsciente, mas no sentido de revelar ou desvelar uma verdade já contida no inconsciente, porém oculta pelo recalcamento. É apenas de um ponto de vista fenomenológico que podemos dizer que Édipo, através da investigação que empreende, "se torna" parricida e incestuoso. De fato, o parricídio e o incesto já constituiriam a verdade de Édipo desde o começo. O percurso da tragédia de Sófocles é o do modo de desvelamento dessa verdade. O caminho percorrido por Édipo em direção à sua própria verdade é, no entanto, necessário. Tal como nos disse Hegel, a verdade não é um dado, mas o resultado de um processo. Se alguém afirmasse a Édipo ser ele parricida e incestuoso, ele reagiria com justificada indignação, da mesma forma que o paciente psicanalítico não aceita como sua a verdade do sintoma revelada prematuramente pelo analista. O processo psicanalítico é percorrer esse caminho que leva o paciente à consciência-de-si (na terminologia hegeliana) ou à verdade do seu desejo; "não há outra via da verdade, para a nossa consciência natural, que essa longa viagem que a conduz a ler ela mesma sua verdade".[12]

Entendamo-nos porém a respeito de um ponto. O que foi dito antes não torna o inconsciente freudiano idêntico à consciência natural de Hegel. O inconsciente de Freud difere do hegeliano em vários pontos fundamentais. No entanto, permanece válida a afirmação de que o fio condutor de ambos os autores é a verdade entendida como desvelamento que a experiência empreendida pelo sujeito torna possível. Tanto em Hegel (pelo menos no Hegel da *Fenomenologia*) como em Freud, o que possibilita a verdade é essa *releitura* que o sujeito faz de si mesmo. É portanto de um lugar epigonal, como disse Jean Beaufret,[13] que a verdade pode ser revelada.

Mas seria isto realmente válido tanto para Hegel como para Freud? Vimos que a releitura hegeliana compreende dois momentos: um primeiro momento no qual a consciência seria consciência do mundo, mas inconsciente de si mesma, e um segundo momento (este, o da releitura propriamente dita) no qual o fenômeno é incluído na totalidade do espírito (*Geist*) que lhe confere sentido. Se é portanto a totalidade o que confere verdade plena ao fenômeno, sem ela, este permaneceria sempre incompleto quanto ao seu sentido. Porém, na medida em que Freud (ao que parece) não admite a ideia de totalidade de que nos fala Hegel, a verdade permaneceria sempre incompleta. Creio que este é o ponto central da teoria psicanalítica no que se refere à noção de verdade; qualquer tentativa de totalização nos remeteria ao "umbigo" de que fala Freud em *A interpretação de sonhos*. Parece-me que a ideia de totalidade e a ideia de umbigo não são compatíveis. Insistamos, porém, um pouco mais na questão do racionalismo em Freud.

# 10. Além

A primeira frase de *Além do princípio de prazer* nos fala da *Seelenleben*, isto é, da "atividade da alma" e não da atividade psíquica ou da atividade da mente; assim como é do *Seelische apparat* (aparelho anímico) que Freud fala e não em aparelho psíquico ou aparelho mental. Se compararmos essa frase inicial do texto de 1920 com a frase inicial do *Projeto* de 1895, no qual Freud afirma sua finalidade de estruturar uma psicologia que seja concebida como uma ciência natural, não podemos evitar a pergunta: Naturalismo do *Projeto* contra animismo de *Além do princípio de prazer*?

Não me parece que a questão deva ser colocada nesses termos. Em primeiro lugar, porque o naturalismo do *Projeto* não é tão naturalista quanto se pensa; estruturar a psicologia como ciência natural significava para Freud, em 1895, muito mais uma proposta metodológica do que uma afirmação naturalista do conteúdo da psicanálise. A ênfase incidia muito mais sobre o termo "ciência" do que sobre o termo "natural"; e isto sem levarmos em conta que essa proposta "naturalista" foi engavetada por ele, o que podemos considerar pelo menos como um indício de que não contava com sua plena adesão. O que Freud pretendia com o *Projeto* era fazer uma psicologia científica, muito mais do que fazer uma psicologia naturalista.

Creio que isso fica claro quando em *A interpretação de sonhos* ele opera a passagem da natureza para a linguagem. Em segundo lugar, o "animismo" sugerido pela terminologia freudiana no texto de 1920 não ultrapassa o nível terminológico. Embora os termos empregados por um autor possam vir carregados de significados passados, devemos voltar nossa atenção é para os conceitos que a nova teoria produz. Mesmo assim, podemos nos perguntar por que Freud empregou o termo *Seele* (alma) e não outro qualquer que correspondesse a "mente" ou "psiquismo", que estariam muito mais ao gosto da psicologia da época.

Parece-me que *Seele* é o índice persistente do antinaturalismo que atravessa os textos freudianos desde *A interpretação de sonhos*. Se podemos admitir que o aparelho anímico (*Seelische apparat*) encarna-se no sistema nervoso, não devemos nos esquecer que para Freud esse sistema nervoso é capaz de produzir sonhos, isto é, que por ele se produz a fala e que é no registro da linguagem que a psicanálise se situa desde o começo.

Segundo Lacan, Freud toma a biologia por antífrase: "A biologia freudiana não tem nada a ver com a biologia."[1] Ora, tomar a biologia por antífrase é tomá-la pelo seu oposto. Em seus seminários do inverno de 1954-55, Lacan nos mostra o sentido que possuía para Freud a concepção de um "aparelho anímico" como sendo o de fornecer ao organismo vivo – no caso particular, ao homem – uma organização anímica que funcionasse como um recinto fechado, no sentido de opor resistência à passagem livre e ilimitada das forças de origem pulsional e às descargas energéticas delas decorrentes. Essa organização operaria no sentido de manter um equilíbrio interno frente à irrupção de energia provinda do exterior.

Trata-se portanto de um sistema ou conjunto de sistemas que funciona segundo o mecanismo de homeostase. A essa regulação Lacan chama de *função restituidora da organização psíquica*[2] e a compara, ainda que num nível muito elementar, ao movimento de descarga e de retração da pata da rã, isto é, descarga e retorno à posição de equilíbrio. Este é, fundamentalmente, o modo de funcionamento do aparelho anímico, e nessa tarefa estão igualmente comprometidos o princípio de prazer e o princípio de realidade. Paralelamente à função restituidora, há também uma *função repetitiva* – é o que Freud nos mostra em *Além do princípio de prazer*, através da noção de *compulsão à repetição* (*Wiederholungswang*). Esta noção, porém, não está livre de ambiguidade em Freud. Se por um lado ela manifesta uma tendência repetitiva, por outro, manifesta também uma tendência restitutiva. Se admitirmos o princípio de prazer como aquele que rege o conjunto dos sistemas psíquicos, deveríamos admitir também que a tendência restitutiva predominaria em última instância sobre a tendência repetitiva. O que parece paradoxal e enigmático em Freud é que tal não acontece. Daí a hipótese da pulsão de morte.

Ao colocar a questão de um além do princípio de prazer, Freud não está de modo algum retomando o ponto de vista naturalista com o qual a psicanálise rompe desde os seus começos. Dizer que a vida aponta para a morte não significa abrir mão da dimensão simbólica que caracteriza essencialmente a psicanálise, mas sim admitir a possibilidade de um limite da palavra, de algo que para além do princípio de prazer, para além do jogo dos signos, diz respeito ao real.

Se o conjunto dos sistemas psíquicos tende para o equilíbrio, por que esse equilíbrio não é obtido? Por que há uma persistência do desprazer? Por que a tendência repetitiva acaba por predominar sobre a tendência restitutiva? É aqui que se manifesta a ambiguidade da compulsão à repetição, na medida em que ela implica os dois registros: o repetitivo e o restitutivo. Para além da tendência restitutiva há uma tendência repetitiva que se impõe de forma paradoxal e enigmática.[3] Essa ambiguidade é o que coloca em questão a hipótese do princípio de prazer e da sua função homeostática.

Desde o início de *Além do princípio de prazer*, Freud destaca a importância que concederá, na sequência do texto, ao ponto de vista energético. Essa ênfase não apenas distingue o texto em questão daqueles outros que compõem a chamada primeira tópica freudiana, como assinala ainda a distância que separa Freud dos autores que, de Descartes a Hegel, pretenderam conceber o corpo humano como uma máquina. Isto porque, se para esses autores o modelo tomado era o da máquina mecânica, o que emerge junto com Freud é a máquina energética.

Se a concepção do mundo, de Descartes a Hegel, era a da máquina newtoniana, a partir de Watt a velha "ciência do fogo" se encarna na máquina a vapor, fazendo com que a palavra-chave desse novo mundo seja *energia*. Essa é a distância maior que separa Hegel de Freud: a visão energética do mundo. Máquina de sonhar, máquina de falar, máquina energética são termos que agridem os ouvidos humanistas, e no entanto podemos concordar com Lacan quando diz que nada encarna tão profundamente o universo humano quanto uma máquina. A máquina só toma sentido se referida ao universo simbólico. Como a linguagem, ela assinala a distância em relação ao natural. Portanto, ao pensar o homem dessa forma, Freud não está pretendendo fazer um reducionismo biológico, assim como tampouco está tomando a biologia como modelo explicativo do funcionamento do aparelho psíquico. Se podemos falar em modelo, aquele que Freud toma para explicar o homem é o energético, que também foi tomado pela biologia. No entanto, entre a biologia moderna e a metapsicologia freudiana a distância é considerável. O que Freud fez em *Além do princípio de prazer* foi juntar essa concepção energética à sua teoria do aparelho anímico desenvolvida desde *A interpretação de sonhos*.[4]

Freud inicia o texto de 1920 dizendo: "Supomos, sem hesitação, na teoria psicanalítica, que o decurso dos processos da alma é regulado automaticamente pelo princípio de prazer (*Lustprinzip*)", e em seguida completa: "Decidimos pôr em relação *Lust* e *Unlust* com a quantidade de excitação existente na vida da alma – e não vinculada de algum modo – de tal maneira que *Unlust* corresponde a um incremento e *Lust* a uma diminuição desta quantidade."[5]

Ora, uma coisa é a afirmação de um *princípio* que regula o funcionamento do aparelho anímico, outra é o *diferencial prazer-*

*desprazer*. O princípio de prazer só toma sentido quando referido ao aparelho anímico concebido como um todo, isto é, concebido como um aparelho, um aparato ou um sistema fechado, cuja função é regular a entrada livre e ilimitada da energia de origem pulsional, assim como as descargas motoras. O aparelho anímico é, pois, uma organização. Acontece que o diferencial prazer-desprazer se faz com anterioridade a qualquer organização. O que há originalmente, diz Freud, é *prazer de órgão* (*Organlust*), pulsões parciais satisfazendo-se de forma autoerótica e independentemente de qualquer princípio organizador. O que é primário em Freud não é o princípio de prazer, mas o diferencial prazer-desprazer que se daria num estado de dispersão das excitações. O surgimento do princípio de prazer se daria pela *ligação* (*Bindung*), isto é, pela passagem do prazer, entendido como pura experiência subjetiva e referido a uma quantidade de excitação não vinculada, para um estado de integração que nos possibilitará falar em *aparelho* anímico.

A função desse aparelho é manter o nível de excitação o mais baixo possível ou pelo menos constante (Freud nos diz que o *Lustprinzip* deriva do *Konstantprinzip*), o que não significa reduzir o nível de tensão a zero (que seria a morte do ser vivo). Mesmo se entendemos a pulsão de morte como "tendência para morrer", pulsão de morte e princípio de prazer não se confundem. O que Freud afirma é que há algo *além* do princípio de prazer ou distinto dele e que tende a remeter todo o animado ao inanimado.

Não é da morte que Freud nos fala quando se refere à pulsão de morte, mas da vida. É do vivido humano que a psicanálise trata, e se há algo nesse vivido que impele o homem a sair dos limites da vida, é ainda do vivido que estamos falando.[6] De qualquer maneira, o princípio de prazer não se confunde com a pulsão de morte, assim como esta não se confunde com a morte enquanto destino individual.

Apesar da ênfase concedida à dimensão conceitual da obra de Freud, Jean Hyppolite[7] pergunta se não há nele um conflito profundo entre o racionalista (que acredita poder racionalizar a humanidade) – este é o Freud terapeuta – e um outro Freud especulativo que se opõe ao racionalista. Não seria o Freud especulativo aquele que, deixando de lado o racionalismo, postula a pulsão de morte? Lacan responde que o texto de *Além do princípio de prazer* permanece racionalista de ponta a ponta, que em nenhum momento a razão abdica e afirma: "Aqui começa o opaco e o inefável."[8] O recurso à pulsão de morte não significa um recuo de Freud com relação à exigência racionalista. *Além do princípio de prazer* não é um texto onde a razão recua frente ao inefável, "o instinto [pulsão] de morte não é uma confissão de impotência, não é o ato de estacar diante de um irredutível, de um derradeiro inefável, *é um conceito*".[9]

Tal resposta parece não somente afastar a sugestão de Hyppolite como também colocar uma pedra em cima da questão da possibilidade do acaso em psicanálise (pelo menos de um acaso original). No entanto, antes de cedermos sob o peso da pedra lacaniana, vamos discutir ainda outros aspectos relativos ao conceito de pulsão de morte.

* * *

Sob o título "O que é o instinto de morte?",[10] Deleuze faz uma brilhante análise de *Além do princípio de prazer*, mostrando que o "além", aqui, não significa exceções ao princípio de prazer na vida psíquica, mas designa um *resíduo* irredutível ao princípio: "Não há nada contrário ao princípio, mas há algo exterior e heterogêneo para com o princípio – um além (...)." Esse além não se refere às exigências da realidade, pois estas encontram sua origem no fantasma e, portanto, em algo que também está sob o domínio do princípio. O além é, portanto, um resíduo, e é esse resíduo que ele vai relacionar ao "instinto de morte". No mesmo texto, Deleuze afirma que a distinção entre pulsão de vida e pulsão de morte só poderá ser plenamente compreendida se levarmos em conta uma outra distinção mais profunda: aquela que haveria entre a própria pulsão de morte e o *instinto de morte*.[11] Evidentemente não se trata aqui da velha e já desgastada confusão decorrente da tradução do *Trieb* freudiano para "instinto", mas de algo que diz respeito aos fundamentos do conceito de pulsão de morte e que nos remete, segundo ele, ao estatuto da *negação* na obra de Freud.

O ponto de partida da análise de Deleuze é a obra de Leopold von Sacher-Masoch. Mas não é apenas de Masoch que Deleuze nos fala, fala-nos também do Marquês de Sade. Ambos os nomes serviram para designar perversões que retomadas por Freud passaram a formar o par sadismo-masoquismo, fundamental para a teoria da sexualidade.

Deleuze nos diz que o que está em jogo na obra de Sade é a *negação*, e que esta surge em toda a sua extensão e em toda a sua profundidade, mas que se apresenta sob duas formas distintas: como desordem, destruição, degradação (o que não deixa de ser uma forma de ordem ou de estar referida à ordem); e como negação pura, caos primordial, puro estado de dispersão. A essas duas formas de negação correspondem duas naturezas: a *natureza segunda*, que não é absolutamente negativa porque está referida à ordem e que se constitui como processo parcial de morte e destruição; e a *natureza primeira*, que se situa para além da ordem e da lei, que não tem nenhum compromisso com a conservação, seja individual, seja da espécie. Portanto, *natureza segunda* apresentando-se como processo parcial do negativo, e *natureza primeira* que corresponderia à negação pura. No entanto, essa natureza primeira ou original jamais se apresenta como um *dado*, "só a natureza segunda forma o mundo da experiência, e a negação só é dada nos processos parciais do negativo",[12] sendo a natureza original objeto apenas de uma ideia.

É a partir dessa distinção entre as duas formas de negação que Deleuze apresenta a outra distinção entre pulsão de morte e instinto de morte. Segundo ele, a distinção freudiana entre a pulsão de vida e a pulsão de morte só ganha plena inteligibilidade se referida a uma outra que lhe serve de fundamento; a distinção entre *pulsão de morte* e *instinto de morte*. Enquanto a pulsão de morte jamais se apresentaria em estado puro, mas sempre misturada com as pulsões de vida, o instinto de morte seria Tanatos em estado puro, negação pura, caos original.[13] Tal como a natureza original a que nos referimos antes, o instinto de morte não pode ser "dado" na vida psíquica. Deleuze termina por dizer que, "para designá-lo, devemos manter aqui o substantivo *instinto*, único capaz de sugerir uma tal transcendência ou de designar um tal princípio transcendental".[14]

Creio que temos aqui duas questões: uma dizendo respeito ao estatuto e extensão da negação e sua relação com as duas naturezas; e outra dizendo respeito ao que Freud entende por *Todestriebe* em *Além do princípio de prazer* e da necessidade apontada por Deleuze de se fundamentar essa pulsão num instinto, mesmo que este último seja entendido como um "princípio transcendental". Parece-me que o primeiro passo a ser dado é no sentido de estabelecermos o estatuto da negação nos textos de que estamos tratando. Assim, *negação* é apenas privação ou possui um estatuto de positividade?

Spinoza entendia a negação como sendo necessariamente privação, restrição, como algo que em relação à plenitude absoluta da substância corresponde a um "ser menor" – *Determinatio negatio est*, a determinação é negação, esta é a fórmula famosa de Spinoza. Para ele, o Absoluto, a Substância, é afirmação pura, ausência total de determinação (que seria limitação), o indiferenciado pleno. A proposição de número sete da *Ética* de Spinoza afirma: "Pertence à substância existir." A substância enquanto tal não comporta nenhuma falha negativa, o negativo não faz parte dela. Persiste para Spinoza o conceito de negação entendido como privação. No entanto, D. Janicaud,[15] num artigo sobre Hegel e Spinoza, pergunta se não podemos entender esse horror de Spinoza ao negativo como sendo, de fato, uma negação da negação; se esse absolutamente positivo da substância spinozista não é no fundo a negação absoluta.

Numa primeira aproximação, parece que essa hipótese não é sustentável. Apesar de Spinoza jogar sempre com a negação, e apesar de o absolutamente positivo da substância encerrar em sua definição a negação da negação, esta continua sendo pensada como privação. A negação em Spinoza não faz parte da essência da substância. "A exclusão da negatividade do seio do substancial", acrescenta Janicaud, "volta a encontrar-se no nível da individualidade, que nada mais faz do que perseverar no seu ser, pois lemos no livro III da *Ética* (proposição 5): 'coisas de uma natureza contrária não podem estar no mesmo sujeito, na medida em que uma pode destruir a outra'. Para Spinoza, a contradição interna equivale à autodestruição, o que é absurdo."[16] A substância, enquanto infinita, não comporta a negação, esta só ocorre no nível dos *modos* finitos enquanto determinação. No entanto, a negação implícita nos modos não afeta a substância enquanto tal; a finitude dos seres não afeta a infinitude do Ser. O Absoluto não pode conter a falta sob pena de deixar de ser Absoluto.

Mas se os *modos* são finitos, os *atributos* são infinitos em seu gênero. Como explicar então a determinação pela negação? Deleuze nos responde que a eliminação radical da negação em Spinoza apoia-se na diferença entre *distinção* e *determinação*. Enquanto esta última é sempre negativa e diz respeito aos modos da substância, a distinção é sempre positiva e refere-se aos atributos. Cada atributo é marcado pela sua distinção, de tal modo que cada um pode ser concebido sem que se refira em nada ao outro atributo. Cada qual é infinito em seu gênero ou em sua natureza. "Toda natureza é positiva."[17] "À positividade como essência infinita corresponde a afirmação como existência necessária."[18]

Mas à positividade dos atributos não corresponde uma pura negatividade dos modos. Embora caracterizados pelas duas figuras da negatividade – a limitação e a determinação –, os modos são negativos apenas logicamente, enquanto que sua existência é sempre uma forma de afirmação, implica sempre uma força. A negação não tem, para Spinoza, estatuto ontológico, ela é um ente de razão, ou, como prefere Deleuze, uma forma de comparação que em nada afeta a natureza daquilo que é comparado. Assim sendo, se determinação é negação, isto não significa que em relação aos modos Spinoza tenha feito uma ontologia do negativo; para ele, a negação não é nada, é pura ficção abstrata.

Por esse esboço, fica claro que para Spinoza a indiferenciação da substância nada tem a ver com a negação, mas sim com a afirmação plena, e que mesmo em relação às coisas singulares é em termos da positividade que elas são apresentadas; o negativo não faz parte de sua essência. "Toda a coisa se esforça, enquanto está em si, por perseverar no seu ser" e "o esforço pelo qual toda coisa tende a perseverar no seu ser não é senão a essência atual dessa coisa"; estas são as proposições VI e VII da Parte III da *Ética* e exprimem o que Spinoza designa por *conatus*, a potência do modo, sua perseveração na existência, sua tendência interna a durar indefinidamente.

Ao contrário de Freud, para quem o ser vivo tende a morrer por causas internas, para Spinoza "nenhuma coisa pode ser destruída a não ser por uma causa exterior".[19] A ideia de uma pulsão de morte inerente à substância é inconcebível para Spinoza, assim como a ideia de um "instinto de morte" entendido como "caos primordial". A indiferenciação da substância nada tem a ver com o caos, acaso ou dispersão, como também não é signo da negação, mas, ao contrário, índice de afirmação plena. A substância é chamada de natureza naturante, causa da natureza naturada (modos), e isto não devido ao acaso, mas a uma ordem necessária.

A concepção spinozista da substância retoma a tradição grega iniciada por Parmênides, cujo fundamento é a identidade. O que Parmênides recusava era o conceito de qualidade negativa, a positividade do negativo, o não-ser. O que o princípio de identidade afirmava era: "O que é, é; o que não é não é", princípio lógico que transforma Parmênides numa "máquina de pensar", como dizia Nietzsche. Sobre este princípio é construída a ontologia grega, e é ainda em torno dele que se constitui, vinte séculos depois, o monismo spinozista.

Hegel surge como um dos críticos mais agudos dessa tradição ao denunciar que essa filosofia ficou presa à noção de substância, desprezando a noção de sujeito. O pressuposto da filosofia que se inicia com os gregos é de que é possível se constituir um discurso sobre o ser, a natureza ou a substância, isto é, de se constituir um discurso sobre o Objeto sem se levar em conta o Sujeito. Para Hegel, um discurso sobre o Ser tem que se colocar a si próprio, já que a totalidade daquilo que é inclui o próprio discurso.

Ao incluir o sujeito na totalidade daquilo que é, fazendo com que o Absoluto abarque tanto o Ser como o Discurso, Hegel introduz a categoria ontológica de *negatividade*. Se a Substância é concebida como Ser (*Sein*) e seu fundamento ontológico é a *identidade*, o Sujeito tem seu fundamento na *negatividade*. Segundo Hegel, uma das falhas da filosofia grega e de grande parte da filosofia moderna foi ter concebido o homem como uma entidade também natural. Para ele, o homem nada tem de natural, sendo que, na verdade, ele se constitui pela negação do natural; não há continuidade entre o homem e a natureza, entre ambos interpõe-se a linguagem. Isto não faz, porém, com que sujeito e objeto passem a constituir um dualismo irreconciliável, pois pelo conhecimento verdadeiro o discurso coincide com o ser que ele revela.[20] Lógica e ontologia são para Hegel indiscerníveis.

Há portanto uma grande diferença entre a lógica tal como Hegel a concebe e a lógica tal como era encarada pelas filosofias que precederam a sua. De fato, ele instaura uma nova lógica que deixa de ser vista como uma arte ou instrumento de pensar o ser, para transformá-la numa experiência de revelação do ser e de si própria como discurso. O sujeito desse discurso encontra seu fundamento na *negatividade*; é ao negar a natureza, assimilando-a e transformando-a, que o homem se constitui como homem. A negatividade aparece como ação do homem sobre a natureza, ação criadora porque negadora do dado. Como assinala Jacques D'Hondt,[21] o mundo natural não é, segundo Hegel, uma dádiva ao homem, mas algo que se lhe opõe e que tem que ser conquistado: a ação (*Tun*) supõe "exatamente o contrário de uma oferta total por uma natureza benevolente".[22]

Afirmar que a Totalidade implica a negatividade (além da identidade) significa dizer que o homem se constitui pela negação do dado, que o Eu humano não é uma realidade natural, imediata, mas o resultado dialético de uma ação sobre o dado. O homem não se constitui como um prolongamento-coroamento do natural, mas como descontinuidade em relação ao natural. Essa descontinuidade é produzida pelo *discurso* (*Logos*) que, ao invés de ser dado, é ação negadora (transformadora) do dado. Com Hegel, o discurso deixa de ser o lugar neutro onde o mundo natural é *representado* e passa a ser a forma pela qual o mundo natural é revelado e ao mesmo tempo transformado por essa atividade negadora. Essa atividade do discurso é o *entendimento* (*Verstandes*), que no prefácio da *Fenomenologia do Espírito* Hegel apresenta como o maior e mais admirável poder do homem, e esse poder se manifesta pela capacidade de *separação.*

Pelo discurso, o homem separa o elemento que no real é inseparável da totalidade da qual faz parte, separação esta que nada mais é do que o poder de abstração através do qual um objeto é isolado do resto do universo. Produzir o conceito de algo é separar esse algo das condições de espaço e tempo a que ele é submetido enquanto objeto real. O conceito de mesa só é possível na medida em que meu entendimento separa a mesa real, sobre a qual escrevo, das condições reais concretas que fazem dela uma mesa real. A mesa real é portanto separada de seu suporte material e tornada ideia, sentido. O sentido "mesa" não se dá senão pelo entendimento, isto é, pela linguagem. O mecanismo do entendimento consiste, pois, em separar uma coisa de seu suporte material e fornecer-lhe um outro suporte que é o discurso. É a esta capacidade de separar a essência da existência que Hegel chama *negatividade*, e que tem como resultado a produção de um mundo distinto do natural: o mundo da cultura. Considerada isoladamente, a negatividade é puro nada.

A consciência imersa na experiência acredita como verdadeiro aquilo que se lhe apresenta como "certeza sensível", "coisa percebida", para descobrir em seguida que essas supostas verdades são falsas. O resultado da experiência da consciência é pois um resultado negativo, mas este caráter negativo não é absoluto, posto que ele é sempre a negação de um "aqui" e um "agora" que ao denunciar o erro permite sua superação por uma verdade. É essa superação ou suspensão (*Aufheben*) da experiência que vai constituir a *positividade da negação*. Não é portanto da negação absoluta que Hegel está falando, mas da *negação determinada*, imanente ao real e fundamento da dialética.

Toda negação determinada é, portanto, uma afirmação. A questão que se coloca é a de como pode surgir algo de novo a partir da negação determinada. Se a negação determinada é um *não-A* em relação a um *A inicial*, como pode surgir um *B* que seja algo de novo em relação a *A*? Segundo Hyppolite,[23] "para entender o texto hegeliano neste ponto, é necessário admitir que a Totalidade é sempre imanente ao desenvolvimento da consciência. A negação é criadora porque o termo dado havia sido isolado, porque ele mesmo era uma certa negação. A partir desse momento, se concebe que sua negação permite voltar a encontrar a Totalidade em detalhe. Sem essa imanência da Totalidade à consciência não se poderia entender como pode realmente a negação engendrar um conteúdo".

A consciência é esse superar-se, essa necessidade de ir mais além de si mesma, o que a distingue fundamentalmente do ser limitado a uma vida natural. Este último não tem em si mesmo a capacidade de "ir mais além", isto só ocorre se ele é impelido por um outro. Mas o ser impelido para além de si próprio implica a negação de suas formas limitadas e, portanto, a sua própria morte. Assim, enquanto na natureza a morte é sempre uma negação externa, o homem carrega a morte em si mesmo, posto que a consciência é esse transcender-se constante, esse superar-se sem cessar que faz dela algo de irredutível ao natural. No homem, a negação é a própria morte que ela porta e da qual ele é consciente. Essa morte não é a negação absoluta, mas a *negação determinada*, portadora de positividade e que é inseparável da vida enquanto vida humana.

A negatividade em Hegel é sempre negatividade parcial (já que determinada); só abstratamente poderíamos concebê-la como absoluta. Considerada isoladamente, a negatividade é puro nada. Não existe um em-si da negatividade, aquilo que poderíamos chamar de negativo puro. A negatividade para Hegel é a marca da finitude do ser. Isto o aproxima perigosamente de Spinoza, e não creio que tenha sido esta a intenção do filósofo de Jena. Quando Hegel diz que a negatividade considerada isoladamente é um puro nada, ele não quer dizer como Spinoza que a negatividade seja uma ficção, mas que ela implica um suporte natural. É enquanto negação do natural que emerge a ordem humana, a cultura, o que faz com que a negatividade passe a ter uma positividade que impede que a identifiquemos ao puro nada. A positividade da negatividade resulta da afirmação do nada através da negação do dado. Ao negar o dado enquanto em-si, enquanto natural, a negação funda o para-si que é a consciência humana. A persistência deste para-si é a afirmação do nada pela destruição-transformação do ser. Hegel chama de *morte* essa negatividade, posto que é *realizada* pela permanência da nada (destruição do em-si) que se constitui como pensamento e discurso.

A negação não é, pois, em Hegel, um procedimento exterior, um acidente ou uma ficção do entendimento, mas, como já havia assinalado Kant, "um procedimento necessário à razão", único capaz de revelar a objetividade da verdade. Essa negação essencial à consciência é a morte de que ela é portadora; não a morte de si própria, mas a destruição-transformação do natural. O natural é por ela negado, mas mantido enquanto negado; o natural é superado.

Na introdução da *Fenomenologia do Espírito,* Hegel escreve: "O que está limitado a uma vida natural não pode por si mesmo ir mais além de sua existência empírica imediata; mas está impulsionado mais além dessa existência por outra coisa, e esse fato de ser arrancado (e projetado) mais além é a sua morte." A morte do ser natural é portanto uma morte estrangeira, enquanto que a morte que o ser humano porta é a sua própria vida: "morte que vive uma vida humana", como diz Kojève.

Spinoza e Hegel: Se levarmos em consideração a ideia freudiana de um primeiro momento mítico na relação da criança com a mãe, momento de indiferenciação original anterior à linguagem e ao recalque, anterior ao próprio tempo (ou pertencente ao tempo mítico original), momento no qual criança e mãe formam uma totalidade indiferenciada, o que teremos aí é uma pura afirmação, uma relação afetiva que é a expressão direta do pulsional e que não encerra negação alguma. A negação surgiria para quebrar essa unidade indiferenciada, distinguindo um interno e um externo. A semelhança com a concepção spinozista da Substância é bastante razoável. Tal como a Substância de Spinoza, essa relação primordial criança-mãe forma um todo indiferenciado, afirmação plena, puro estado pulsional. No entanto, o próprio Freud toma o cuidado de nos apresentar essa concepção como "mítica", não correspondendo ela a nenhum momento real observável clinicamente. Trata-se pois de uma ficção teórica.

Mas não é por apresentar-se como uma ficção teórica que ela deverá ser objeto de crítica. Afinal, todos os conceitos teóricos são ficções. O alvo da crítica seria a aceitação irrestrita dessa afirmação absoluta que corresponderia a um "afetivo puro" em Freud. De fato, essa unidade indiferenciada criança-mãe inclui a mãe, e esta "já está situada no campo distintivo da situação humana",[24] e portanto só pode ser concebida como afirmação absoluta abstratamente. A mãe, enquanto parte dessa totalidade, é um indivíduo adulto, imerso na cultura e que já passou pela castração. Assim sendo, ela encerra a negação, o que faz com que a "afirmação plena" original já contenha em si mesma a negação. E neste caso aproximaríamos Freud de Hegel.

Esta é, inclusive, a crítica que Hegel faz a Spinoza. Não haveria afirmação pura, assim como não haveria negação pura. Toda negação seria negação de uma afirmação, mas esta última, por implicar uma determinação, encerraria uma negação. Uma afirmação pura, isenta de qualquer negação, como a que pretende Spinoza com seu conceito de Substância, seria, no entender de Hegel, uma abstração.

Voltando então à questão colocada por Deleuze em relação ao conceito de pulsão de morte em Freud, a pergunta que surge é: Qual o sentido do "instinto de morte" que ele aponta como fundamento necessário à pulsão de morte em Freud?

Segundo Deleuze,[25] "as pulsões de morte e de destruição são claramente dadas ou apresentadas no inconsciente, mas sempre misturadas com as pulsões de vida". Não me parece que este tenha sido o ponto de vista sustentado por Freud; para ele, não apenas as pulsões não são "dadas" no inconsciente, mas sim presentificadas pelos seus representantes psíquicos,[26] como afirma ainda que, em se tratando das pulsões de morte, elas são silenciosas e invisíveis em contraposição às pulsões sexuais, que são ruidosas.[27] Aquilo que "encontramos" no inconsciente são representantes das pulsões parciais (sexuais); a pulsão de morte não tem propriamente representantes, ela se faz presente silenciosamente como princípio disjuntivo do sexual. "Não era fácil", escreve Freud, "demonstrar as atividades dessa suposta pulsão de morte. As manifestações de Eros eram visíveis e bastante ruidosas. Poder-se-ia presumir que a pulsão de morte operava silenciosamente dentro do organismo."[28] A pulsão de morte, prossegue Freud no mesmo texto, escapa a qualquer detecção, "podemos apenas suspeitá-la, por assim dizer, como algo situado em segundo plano, por trás de Eros".[29] Este pode ser um dos sentidos da afirmação de Freud de que não se encontra o *não* no inconsciente. O *não* não se encontra presente enquanto *Vorstellung*, mas enquanto princípio de desunião, de disjunção de Eros.

Ainda dentro dessa mesma questão, Deleuze identifica pulsão de morte (*Todestriebe*) com pulsão de destruição (*Destrukionstrieb*) e pulsão agressiva (*Aggressionstrieb*). Sem dúvida alguma, a confusão no emprego desses termos foi provocada pelo próprio Freud, mas ele mesmo, em seus últimos textos, encarrega-se de desfazer parte dela. Assim, em *O mal-estar na civilização*, ele nos diz que "uma ideia mais fecunda era a de que uma parte da pulsão (de morte) é desviada no sentido do mundo externo e vem à luz como pulsão de agressividade e destrutividade",[30] e ainda: "Essa pulsão agressiva é o derivado e o principal representante da pulsão de morte."[31] Portanto, a pulsão de morte não se manifesta diretamente, permanece "em segundo plano por trás de Eros", como fundo silencioso para este último; aquilo que se manifesta da pulsão de morte não é ela mesma, mas um derivado ou representante seu que é a destrutividade. Assim, aquilo que Deleuze chama de *instinto de morte*, "que como tal não pode ser *dado* na vida psíquica, mesmo no inconsciente",[32] em nada difere daquilo que Freud denomina *pulsão de morte*. Também esta não é "dada" no psiquismo, mesmo no inconsciente; não possui representantes ideativos e funciona muito mais como princípio disjuntivo portador da negação pura do que como conteúdo ideativo do psiquismo. Como o próprio Freud afirmou, trata-se de uma *entidade mítica*, Tanatos, e não agressividade ou destrutividade.

O que Freud vai afirmar, e talvez este tenha sido o ponto de apoio de Deleuze para postular o "instinto de morte", é que no *nível psíquico* pulsão de morte e pulsão de vida encontram-se sempre misturadas. Mas isto ocorre no nível psíquico. Se concordarmos com Freud em que as pulsões são pré-psíquicas, que aquilo que se mistura no psiquismo são seus representantes (*Psychischerepräsentanz* ou *Triebrepräsentanz*) e não as pulsões elas próprias, então podemos manter o termo *pulsão de morte* sem a necessidade de apontarmos um "instinto de morte" que seja seu fundamento. A própria *pulsão de morte* seria esse fundo "além de qualquer fundo" de que fala Deleuze.

Deleuze diz ainda que "princípio" é aquilo que rege um domínio, e no caso do princípio de prazer esse domínio é a vida psíquica – "O princípio de prazer reina sobre tudo, mas não governa tudo."[33] Seria este o sentido do "além do princípio de prazer" de Freud? Parece-me que Deleuze não levou em conta que, para Freud, o Id não é, no começo da constituição do aparelho psíquico, um *domínio*; e isto não só porque não há nele diferenciação alguma, como porque não há nada que se assemelhe a um princípio ordenador. Podemos dizer que há um diferencial prazer-desprazer, mas esse diferencial não define um domínio e muito menos uma ordem. Mais do que um domínio, o Id é uma pluralidade de lugares psíquicos, um "isso" anterior ou exterior a qualquer ordem e a qualquer lei. Portanto, o que há inicialmente é *prazer* e não princípio de prazer. O princípio de prazer seria um efeito da multiplicidade de diferenciais prazer-desprazer, no lugar de ser aquilo que rege esses diferenciais.

O princípio de prazer é, segundo Deleuze, um princípio empírico; a questão que ele coloca a seguir é: O que submete o domínio psíquico ao princípio? Teria que haver, segundo ele, um outro princípio que explicasse essa submissão necessária. Ocorre, porém, que se o princípio de prazer é um *efeito* da multiplicidade de diferenciais prazer-desprazer, o que temos no início da vida psíquica são esses diferenciais num estado de dispersão; sequer poderíamos aplicar a essa subjetividade arcaica o termo "aparelho". Um aparelho supõe uma organização, supõe limites, supõe um princípio de funcionamento, enquanto que o Id é inicialmente uma pura dispersão de excitações oriundas das pulsões. No entanto, o Id já é psíquico, enquanto que as pulsões são pré-psíquicas. Assim, o Id já responderia no plano psíquico às exigências que Deleuze faz a uma "natureza primeira", "livre da necessidade de criar, de conservar e de individuar: sem fundo além de qualquer fundo, delírio original, caos primordial feito unicamente de moléculas furiosas e dilacerantes".[34]

A crítica de Deleuze exposta em *Différence et répétition* pode ser resumida da seguinte maneira: 1) "A vida biopsíquica implica um campo de individuação no qual as diferenças de intensidade se distribuem aqui e ali, sob a forma de excitações"; 2) "Chama-se prazer o processo, ao mesmo tempo quantitativo e qualitativo, de resolução da diferença"; 3) "Esse conjunto de repartição móvel de diferenças e resoluções locais num campo intensivo corresponde ao que Freud denominou o Id (pelo menos a camada primária do Id)"; 4) "O problema de Freud é o de saber como o prazer deixa de ser um processo para se tornar um princípio".[35]

A resposta de Freud, ainda segundo Deleuze, é que a excitação enquanto livre diferencial prazer-desprazer deve ser *ligada*, de tal maneira que sua resolução seja sistematicamente possível, passando assim de um estado de pura dispersão para um estado de integração que é o início de uma organização. A própria afirmação de Deleuze, segundo a qual "as pulsões não são nada mais do que excitações ligadas",[36] não me parece inteiramente correta. Aquilo que vai ser objeto da ligação, para Freud, são os representantes psíquicos da pulsão e não a pulsão ela própria. A pulsão permanece aquém do psíquico. As pulsões e o Id não se confundem.

A ideia-chave aqui é a de *ligação* (*Bindung*). É através da ligação que um estado (hipotético) de pura dispersão de excitações dá lugar a uma organização, que é o aparelho anímico. Esta noção já foi estudada no Capítulo 5; no entanto, creio que devemos retomá-la em função da crítica de Deleuze.

A ideia de *ligação* ou *vinculação* nem sempre é empregada de forma unívoca por Freud. Seu aparecimento se deu no *Projeto* de 1895 e diz respeito a Q, quantidade de energia de que um neurônio está investido. Nesse texto, a *Q* é ainda concebida como uma energia física ou como a excitação que percorre um sistema neuronal. É somente a partir de *A interpretação de sonhos* que Freud passa a empregar o termo "energia psíquica", marcando com isso seu afastamento em relação ao naturalismo do *Projeto*. Mas ainda no *Projeto*, Freud distingue duas formas de *Q*: uma seria a *Q* fluente, tendendo à descarga completa; e outra a *Q'n* retida nos neurônios, necessária à realização de uma ação específica. "A função secundária (do sistema nervoso), porém, que requer a acumulação da *Q'n*, torna-se possível admitindo-se que existam resistências opostas à descarga; e a estrutura dos neurônios torna provável a localização de todas as resistências nos *contatos* (entre os neurônios), que desse modo funcionariam como *barreiras*. A hipótese de *barreiras de contato* é frutífera em vários sentidos."[37]

As barreiras de contato constituem a primeira tentativa de Freud no sentido de explicar a diferença entre os dois estados de *Q*: a *Q* livre, fluente, tendente à descarga total, e a *Q'n* armazenada nos neurônios. No entanto, é através da noção de *catexia colateral* que a ideia ganha uma expressão mais nítida.

Segundo Freud,[38] na trama dos neurônios surge uma organização cuja presença impede ou dificulta a passagem de Q que originalmente foi acompanhada de satisfação ou de dor. A essa organização de neurônios ele dá o nome de *ego*, e o define como a totalidade das catexias existentes, num determinado momento, no sistema de neurônios em questão (neurônios Ψ). Esse ego tende a livrar-se dessas catexias "pelo método da satisfação", o que é possível de duas maneiras: Através da *repetição* das experiências anteriores e da *inibição* da descarga.

A energia que atinge um sistema de neurônios tende a distribuir-se através das barreiras de contato que oferecem menor resistência, em direção à descarga motora. No entanto, pode acontecer que um neurônio vizinho ao neurônio catexizado também esteja simultaneamente catexizado, fazendo com que, pela proximidade entre ambos e pela simultaneidade do investimento, crie-se algo semelhante a um campo de forças unificado, provocando uma alteração no curso original da energia em favor de uma *catexia colateral*. O resultado é a inibição da passagem de Q e, portanto, de sua descarga, isto é, uma inibição dos processos primários pelo ego.[39]

É, portanto, a catexia colateral que produz a *vinculação* ou *ligação* da energia, sendo que "o próprio ego é uma massa de neurônios dessa espécie que se mantêm presos a suas catexias – isto é, que estão em estado de ligação, coisa que, com toda a certeza, só pode suceder como resultado de sua influência mútua".[40]

Numa primeira instância, portanto, o ego não é o agente da vinculação ou ligação, mas um *efeito* dela. Essa é a razão pela qual

Freud afirma que "desse modo nos encontramos inesperadamente diante do mais obscuro de todos os problemas: o da origem do 'ego'".[41] Devemos ter em mente que o ego do *Projeto* não é entendido como sujeito ou como possuindo acesso à realidade; ele é de fato um complexo de neurônios ligados por catexias que permanecem relativamente constantes. Vimos anteriormente que ele repete experiências anteriores (experiências de satisfação) ou inibe a descarga. A repetição ocorre em função da associação que estabelece com a experiência de satisfação. Desse modo, ele tende a repetir a catexia da lembrança do objeto de satisfação, colocando em ação o processo de descarga. No entanto, se este objeto é apenas uma imagem, a satisfação não pode ocorrer ou o que ocorre é uma satisfação alucinatória.

Na Parte III do *Projeto*, Freud desenvolve a ideia de que a "atenção psíquica" é o mecanismo responsável pela indicação de qualidade, o que permitiria ao ego um acesso às percepções com a consequência de poder agir sobre elas. A atenção psíquica é o que possibilita o investimento dos mesmos neurônios portadores do investimento perceptivo, repetindo, dessa maneira, a experiência primária de satisfação, dando lugar à transformação de estados de *anseio* em estados de *desejo* e estados de expectativa: "O anseio implica um estado de tensão no ego e, em consequência disso, fica catexizada a representação do objeto amado (a ideia de *desejo*). A experiência biológica nos ensina que essa *representação* (*Vorstellung*) não deve ser catexizada tão intensamente a ponto de ser confundida com uma percepção, e que a sua descarga deve ser adiada até que dela (da representação) partam indicações de qualidade que demonstrem que a *representação* agora é real, que sua catexia é perceptiva."[42]

O ego do *Projeto* é, pois, esse conjunto de neurônios cuja energia é ligada, o que faz com que cada conjunto exerça uma ação sobre os demais neurônios com catexia variável. O efeito dessa ação de um grupo de neurônios sobre os demais é o que Freud denomina *processos secundários*. Enquanto os processos primários seriam catexizados por uma energia livre, os processos secundários seriam catexizados por uma energia ligada. A *ligação* seria o mecanismo responsável pela transformação de um estado de dispersão de energia (o que tornaria impossível uma resposta específica) num estado de organização e de maior eficácia adaptativa.

No entanto, ainda se trata de *neurônios* e de *energia física*. O aparelho psíquico ainda é concebido, no *Projeto*, segundo o modelo neurológico, e a *ligação* ainda é ligação entre neurônios e diz respeito a uma energia física que circula entre eles. É somente com *A interpretação de sonhos* que vai emergir uma concepção topológica do aparelho psíquico e o consequente abandono dos referenciais neurológicos e anatômicos.

O que se vai evidenciando, porém, no *Projeto*, é uma falta. Como primeiro momento de um processo dialético, o *Projeto* é um momento negativo. Nele, o que fica patente é a impossibilidade de o modelo neurológico – seja qual for o modo segundo o qual encaramos essa "neurologia" – dar conta de fenômenos tais como os sintomas histéricos ou o sonho. Quanto mais Freud caminha no *Projeto*, mais vai ficando patente a lacuna em relação a algo que, embora insinuado, não está presente: a *Ordem simbólica*. No entanto, não se trata apenas de preencher uma lacuna teórica; não se trata de um conceito que, uma vez introduzido, conferirá plena consistência ao modelo. O que Freud vai ter que operar é uma mudança de modo de pensar, a abertura de um outro espaço de questões que o *Projeto* tornava impronunciáveis. Essa mudança é a que se inicia com *A interpretação de sonhos* e que vai ter seus delineamentos finais com *Além do princípio de prazer*.

Isso não significa que devemos desprezar a totalidade do conteúdo do *Projeto*. Se por um lado ele se constitui como um obstáculo a um discurso cujo objetivo seria a Ordem simbólica, por outro contém noções que, uma vez retomadas por Freud e submetidas a um outro esquema, ganharão sua verdadeira expressão. A noção de *ligação* (*Bindung*) é uma delas.

Voltemos, então, à questão que estávamos analisando e que serve de título para este capítulo: a do "além" - além do princípio de prazer.

Já foi dito que a pulsão diz respeito às relações entre o corpo e o mundo dos objetos, ou, mais precisamente, entre o corpo e a linguagem. Assim, se por um lado ela se refere ao corpo considerado como sua fonte (*Quelle*), por outro, se refere aos objetos do mundo. O mesmo esquema se aplica ao instinto (*Instinkt*). A diferença fundamental entre ambos reside em que, no caso do instinto, essas relações se fazem segundo esquemas corporais inatos, de tal modo que entre essas disposições internas do indivíduo e os objetos do mundo externo haja uma adequação natural; enquanto que no caso da pulsão, novas articulações (não naturais) são constituídas. No primeiro caso teríamos, segundo Lacan, uma relação de *ser com ser*, enquanto que no segundo teríamos uma relação de *ser com falta*.[43]

Na verdade, o que Freud faz é considerar a pulsão como disjuntora dos esquemas corporais inatos e produtora de novos esquemas, perversos em relação ao natural. A pulsão é, portanto, desmanteladora da ordem natural e constituinte da ordem humana. Essa disjunção produzida pela pulsão deve ser entendida em termos de morte do natural (negação/superação do natural), dando lugar à emergência da ordem humana. A vida humana é uma *Aufhebung* do natural.

No entanto, esse modo de pensar a pulsão é ainda demasiadamente hegeliano, demasiadamente antropológico. Freud não se propõe a fazer uma antropologia. Se podemos dizer que nele o homem se constitui pela morte do natural, não é como uma antropogênese que a psicanálise se apresenta ao mundo científico.

Não é do homem que Freud fala, mas de algo que no homem ultrapassa o próprio homem.

Ao considerar a pulsão como disjuntora, o que Freud tem em mente é a *pulsão de morte*. O que ela disjunta são os esquemas corporais que têm por objetivo cumprir uma função vital, dando lugar a outras formas de articulação com o objeto que não têm diretamente nada a ver com a função vital. É na medida em que os esquemas biológicos inatos são pervertidos em sua função conservadora que a *diferença* tem lugar. Foi nessa medida que dissemos que o termo "perversão" aplicado ao homem toma um sentido próprio: o homem *é* perverso. Ele é tanto mais humano quanto mais perverso; perverso em relação ao natural. Do ponto de vista do natural, o prazer que sentimos ouvindo uma fuga de Bach ou resolvendo uma equação matemática é tão ou mais perverso do que o prazer que resulta do exercício da violência sobre alguém. Para o homem, o normal não é natural, ou, o que é natural para o homem nada tem a ver com o natural da biologia. Mas aqui estamos novamente resvalando para uma antropologia. O conceito de pulsão não é um conceito antropológico, mas psicanalítico.

Já vimos que nos escritos da *Metapsicologia* Freud afirma que se a fonte da pulsão é corporal, seu objeto é psíquico. O que significa isto? Significa, numa primeira aproximação, que o objeto não é considerado como um *em-si*, mas na sua função de signo, que ele é retirado de sua articulação natural e submetido a uma outra articulação na qual tanto ele quanto o próprio corpo são submetidos à ordem simbólica. Ambos são desnaturalizados. Isto não quer dizer que a pulsão seja de ordem simbólica, mas que é pela sua relação com a ordem simbólica que ela se exerce. Dizer, porém, que o objeto é signo não corresponde ainda, de forma adequada, à questão psicanalítica. Se o objeto, enquanto signo, remete a outro objeto, enquanto significante ele remete a um sujeito. É isto, segundo Lacan, o que distingue o *signo* do *significante*:

"O significante se caracteriza por representar um sujeito para outro significante."[44] Assim, no exemplo da fumaça e do fogo, a fumaça tanto pode remeter ao fogo como pode também remeter ao sujeito que o provoca; e essa seria a função essencial do signo em psicanálise: produzir um efeito de sujeito. O sujeito é o efeito de uma cadeia de significantes ou, mais precisamente, efeito intermediário entre dois significantes.

Não podemos, portanto, falar de pulsão senão por referência ao simbólico, apesar de ela própria não ser da ordem do simbólico. No entanto, é o simbólico que em última instância distingue a pulsão do instinto, pois é em função do simbólico que a relação entre o corpo e os objetos do mundo sofre uma metamorfose, de tal modo que, uma vez articulados como signos, os objetos produzam como efeito o sujeito. Se "a anatomia é o destino", quem comanda esse destino é a palavra. Sem ela sequer nos daríamos conta de nossa própria morte. É pela palavra que nos tornamos mortais.

A questão da relação entre o sujeito e o objeto atravessa a obra de Freud de ponta a ponta, mas é no pequeno artigo *A denegação* (*Die Verneinung*) que ela vai ser colocada de um modo que se reveste de particular interesse para o que estamos vendo. Trata-se do juízo de existência e do juízo de atribuição, e de sua relação com o princípio de realidade.

Desde o *Projeto*, quando Freud nos fala dos "estados de desejo", como em *A interpretação de sonhos*, quando fala da "realização de desejos", ele se vê às voltas com a questão da "verificação da realidade".[45] Como o caminho mais curto para a realização do desejo é a alucinação, isto é, o reinvestimento de uma imagem, tornava-se necessário estabelecer um critério segundo o qual fosse possível verificar se o objeto era real ou não. Ao comentar a abordagem freudiana à questão da relação entre o sujeito e o objeto do seu desejo, Lacan[46] mostra que Freud distingue duas maneiras segundo as quais a experiência humana é estruturada: pela *reminiscência* e pela *repetição*.

Na reminiscência, o que se supõe é um acordo entre o homem e o mundo dos objetos; nela, o que se procura já está lá, trata-se não do encontro com o objeto, mas do reencontro com ele. Na repetição, o que ocorre é uma procura do objeto perdido, uma tentativa de reencontro que, no entanto, jamais se dá de forma plenamente satisfatória, posto que o objeto que se apresenta coincide apenas de modo parcial com aquele que originalmente proporcionou satisfação. É, portanto, essa busca sem fim do objeto o que caracteriza o desejo. Nela, o mundo dos objetos é produzido incessantemente, e cada objeto reencontrado é não o objeto em-si, mas um signo do objeto perdido. Mais à frente, no mesmo *Seminário*,[47] Lacan diz que nisto reside a diferença fundamental entre a concepção clássica da relação sujeito-objeto e a que caracteriza o ponto de vista psicanalítico: como foi dito antes, o de ser uma relação de *ser com ser*, enquanto que em psicanálise o que ocorre é uma relação de *ser com falta*.

Em *A denegação*, Freud articula essa questão com a função do julgamento. Tomando como referência a distinção entre os juízos atributivos e os juízos de existência, ele os articula ao processo pelo qual a criança opera a distinção entre o interno e o externo. Nos termos em que Freud o considera, o juízo atributivo consiste em se afirmar ou negar um atributo particular a uma determinada coisa. Importa, sobretudo, se esse atributo é considerado bom ou mau. Nos seus estágios iniciais, o ego, regido pelo princípio do prazer, introjeta aquilo que é experimentado como prazeroso e expulsa de si para o mundo externo aquilo que é vivido como desprazeroso; assim, "aquilo que é mau, que é estranho ao ego, e aquilo que é externo são, para começar, idênticos".[48]

Há, porém, uma outra função do julgamento que consiste não em atribuir um predicado particular a um objeto, mas em afirmar ou negar a existência de algo que corresponde a uma representação. Se o juízo atributivo está ligado originalmente ao ego-prazer, o juízo de existência está ligado ao ego-realidade. Em ambos os casos, trata-se de uma questão relativa ao interno e ao externo, mas em cada um dos casos o referencial é distinto.

O recurso aqui à distinção que Lacan estabelece entre o real, o simbólico e o imaginário pode nos ser de extrema valia.

A partir da concepção freudiana do narcisismo, Lacan elabora o tipo de relação do sujeito com seus objetos, que é conhecida como "estágio do espelho". O pressuposto dessa concepção é que o imaginário é uma noção cujo ponto de partida é a referência ao próprio corpo.

Toda relação imaginária coloca como que uma ameaça de dissolução de um dos seus polos: o eu ou o objeto. Se o princípio de unidade dos objetos percebidos é a unidade do próprio corpo, quando a unidade do eu se torna preponderante, os objetos tendem a se esvanecer; quando é o objeto que ganha preponderância, o que é ameaçado de dissolução é o eu. Esse tipo de estruturação do eu e do mundo é extremamente frágil, além de ser marcado por uma constante ameaça de paralisação ou dissolução. É aqui que Lacan faz intervir uma outra ordem que, interpondo-se entre os sujeitos ou entre os sujeitos e os objetos, introduz uma consistência exterior àquela que decorre da relação narcísica: é a *relação simbólica*.

É o poder de nomear os objetos o que estrutura a percepção, retirando-a da pura evanescência do imaginário.[49] É o ato de nomear os objetos que lhes fornece alguma perenidade, além de articulá-los segundo uma outra ordem distinta do registro do imaginário. Se a percepção se esgotasse no imaginário, os objetos não possuiriam nenhuma permanência, se diluiriam no instantâneo da percepção. É a palavra, enquanto nomeia o objeto, que constitui sua permanência no tempo e, sobretudo, o que permite a um objeto ser o mesmo para dois sujeitos. Através do reconhecimento – e este só pode se dar pela palavra – dois sujeitos concordam ou constituem a "mesmidade" do objeto. A rigor, aquilo a que chamamos de mundo nada mais é do que o efeito do reconhecimento por parte de diferentes sujeitos, de diferentes objetos. O mundo, na medida em que se nos apresenta com alguma unidade, é um efeito da interveniência do simbólico.[50]

Se de um lado a entrada em cena do simbólico possibilita a estruturação do mundo e funda o próprio sujeito, de outro este último corre o risco de ter sua ação sobre esse mundo paralisada se o sistema simbólico faz valer sua hegemonia de forma radical. Se com o predomínio do imaginário o sujeito se vê assolado por um mundo alucinado, com a radicalização do simbólico ele é dominado por uma ordem que lhe transcende e que o determina integralmente.

Com a radicalização do simbólico, o indivíduo é como que esmagado por uma ordem que ele sente como estranha e que o paralisa. Não há, num mundo estruturado dessa maneira, lugar para o acaso, e a própria vontade individual é transformada num mero efeito dessa ordem. "A entrada em função do sistema simbólico em seu mais radical, mais absoluto, emprego acaba abolindo tão completamente a ação do indivíduo, que elimina, da mesma feita, sua relação trágica com o mundo."[51] Sem a relação simbólica o imaginário permanece enlouquecido, com a radicalização do simbólico o sujeito é transformado num objeto sujeitado por uma ordem absoluta que é sentida por ele como exterior e inexorável.

Apesar de essas duas ordens não serem vividas separadamente pelo sujeito, elas não se confundem. O imaginário e o simbólico são dois domínios distintos. Desde os seus primeiros seminários, o esforço de Lacan se dirigiu no sentido de distinguir o que pertence ao domínio do imaginário e o que pertence ao domínio do simbólico. Essa distinção ou disjunção é correlativa da que ele estabelece entre o *eu* em sua dimensão imaginária e o *sujeito* enquanto pertencente ao simbólico.

Vimos antes que é o poder de nomear os objetos o que permite ao sujeito superar a evanescência do imaginário. Essa nomeação diz respeito a um dos registros do simbólico: o registro da *palavra*.

É a palavra que instaura a permanência temporal do mundo – entendido este como um sistema de objetos – e também a continuidade do sujeito. É ainda a palavra, na sua função mediadora, que possibilita o reconhecimento do outro e que permite a superação do desejo de morte que caracteriza a relação dual. Mas, além da vertente da palavra, temos que distinguir no simbólico uma outra vertente: a da *linguagem*.[52] O simbólico como linguagem é o que caracteriza propriamente aquilo que Lacan chama de *Ordem simbólica* enquanto conjunto estrutural independente do sujeito que fala. Esse é o lugar do Outro (o grande Outro), sistema de elementos significantes ao qual o sujeito é submetido desde o começo.

Assim, em termos do desenvolvimento da criança, o que ocorre é um aprendizado da fala, da palavra, mas não um aprendizado da linguagem. Esta encontra-se presente desde o início, e é ela que vai possibilitar a fala. Não há, portanto, aquisição progressiva da linguagem pela criança. Enquanto Ordem simbólica, ela está presente desde sempre e, em termos da criança, antes mesmo do seu nascimento. É somente do lugar desse Outro que a intersubjetividade pode se dar. O discurso do Outro é um sistema de elementos significantes ao qual o sujeito é submetido desde o início e que lhe permite falar ao outro (com minúscula).

Já vimos como, em *Die Verneinung*, Freud articula o juízo de atribuição e o juízo de existência à distinção que a criança opera entre o interno e o externo. Enquanto o juízo de atribuição tem sua origem no ato pelo qual o ego-prazer inicial introjeta aquilo que é experimentado como bom e expulsa para o mundo externo aquilo que é sentido como mau, o juízo de existência tem sua origem na necessidade do ego-realidade de saber se algo que está no ego como representação (*Vorstellung*) pode ser redescoberto também na realidade.

O que a análise feita por Jean Hyppolite[53] nos revela é que Freud fundamenta essas duas formas de juízo em dois mecanismos primários: a *Bejahung*, a afirmação, que corresponde à introjeção daquilo que é experimentado como bom; e a *Verwerfung*, a rejeição, que corresponde ao que é expulso, ao que é colocado para fora por ser experimentado como mau.

A *Bejahung*, enquanto afirmação primordial, é o processo primário que serve de fundamento ao juízo atributivo; corresponde a uma simbolização primitiva anterior à aquisição da fala, e é o mecanismo pelo qual alguma coisa passa a ter existência para o sujeito. Nela, o que temos é ainda a dominância do princípio de prazer; o que é simbolizado não é uma perda, o que a *Bejahung* procura reproduzir é a situação de unificação originária. É coisa de Eros, como diz Freud.[54] A *Bejahung* é pensada por ele como uma espécie de primeiro tempo da enunciação inconsciente, precedente necessário à *Verneinung*, entendida esta última como um juízo de existência.[55] R. Dorey[56] compara a *Bejahung* freudiana aos fenômenos transicionais de que nos fala Winnicott. Um objeto transicional é um objeto material que se reveste de importância especial para o lactente (e para a criança), e que funciona no sentido de operar a transição entre a relação oral primitiva com a mãe para o que ele considera como a primeira posse de algo distinto da própria criança. Trata-se portanto de um substituto ao primeiro objeto perdido, mas que não funciona no sentido de simbolizar a perda, e sim no sentido de reconquistar a unificação original com a mãe. Isto o distingue do carretel da brincadeira do *Fort-Da* que consistia na simbolização da perda.

O outro mecanismo a que Freud se refere é a *Verwerfung*, a rejeição, que Lacan vai chamar de *forclusão* (*forclusion*).[57] Se a *Bejahung* é a afirmação primitiva, a *Verwerfung* é a rejeição primitiva. A *Verwerfung* constitui o que primordialmente é expulso do sujeito e que, em decorrência disto, não entra na simbolização. Não sendo simbolizado, aquilo que é expulso aparece no real constituindo-o como um domínio distinto do simbólico.

Em relação a esse real que se impõe ao sujeito como uma significação isolada que não remete a nada, não funcionam as defesas que operam no nível da neurose. Tanto o recalcamento como a denegação mostram-se incapazes de operar defensivamente, pois ambos pressupõem a simbolização. A *Verwerfung* é o mecanismo que funda os fenômenos psicóticos. Mas não é este aspecto da *Verwerfung* que nos interessa no momento, e sim o real que por ele é constituído.

O que é, então, o real para a psicanálise? É o mesmo que "realidade"? Esta última identifica-se com "realidade psíquica"? Estes termos nem sempre foram empregados por Freud de maneira a não deixarem margem a dúvidas, e mesmo atualmente eles são utilizados de forma imprecisa na literatura psicanalítica. Creio que não resta muita dúvida quanto à distinção entre "realidade psíquica" e "realidade externa", mas não acontece o mesmo no que diz respeito ao emprego do termo "real".

Assim, em *A interpretação de sonhos*, Freud afirma que "o inconsciente é a verdadeira realidade psíquica; em sua natureza mais íntima, ele nos é tão desconhecido quanto a realidade do mundo exterior, e é tão incompletamente apresentado pelos dados da consciência quanto o é o mundo externo pelas comunicações de nossos órgãos dos sentidos".[58] E mais à frente completa: "Se olharmos para os desejos inconscientes reduzidos à sua mais fundamental e verdadeira forma, teremos que concluir, fora de dúvida, que a realidade *psíquica* é uma forma especial de existência que não deve ser confundida com a realidade *material*."[59] Por realidade psíquica devemos entender, portanto, a realidade do inconsciente, do desejo e de seus fantasmas. Essa realidade possui uma dinâmica própria e é a ela que Freud se dirige em sua investigação.

A *realidade exterior* é o mundo material enquanto percebido pelo sujeito como possuindo sentido e apresentando uma certa ordem e relativa perenidade. Não creio que Freud, com a vasta erudição que possuía, identificasse essa realidade exterior com o real em-si, assim como tampouco ignorasse as dificuldades implicadas na distinção entre *externo* e *interno*. Aquilo a que chamamos de realidade exterior é a realidade *percebida*, portanto, algo em relação ao qual a distinção entre o subjetivo e o objetivo se torna, no mínimo, problemática. Husserl, por exemplo – para citar um autor contemporâneo a Freud –, distinguia entre *Real*, *Reell* e *Wirklich*. *Real* dizia respeito ao mundo enquanto existente no sentido vulgar do termo; *Reell* significava também "real" mas num sentido muito distinto do primeiro, pois designava a realidade daquilo que fazia parte da "subjetividade transcendental"; finalmente, *Wirklich*, que significava também "real" enquanto oposto a "fictício".[60] Mesmo assim, prudentemente, Husserl lançou mão de sua *epoché* (redução), suspendendo qualquer juízo de existência, seja a respeito do mundo, seja a respeito do próprio eu.

A realidade exterior de que nos fala Freud é real no primeiro sentido acima, o que não o torna, porém, ingênuo ou vulgar. Muito pelo contrário. Sabia ele muito bem que a realidade psíquica não era uma cópia imagética de uma realidade exterior entendida como real em-si. O Imaginário, para Freud, não é entendido como um reflexo dos objetos materiais, mas como uma rede intrincada que supõe necessariamente o simbólico. Para ele, a noção de realidade exterior está ligada muito mais à distinção entre o interno e o externo para o sujeito do que a uma exigência de rigor filosófico. Se a ênfase, em alguns de seus textos, é dada a esse "exterior" ao sujeito, Freud nem por isso se deixa apanhar pela simplificação positivista. Sabia ele, e Lacan nos mostra isto magistralmente,[61] que o mundo externo, tal como o percebemos ingenuamente, só é possível na medida em que intervém a palavra. Sem a intervenção da função simbólica, o mundo seria reduzido a um fluxo enlouquecido, caos de imagens sem ordem e sem permanência no tempo. É a palavra que cria o passado e o futuro, assim como é a palavra que permite a dois sujeitos o reconhecimento, não apenas um do outro, mas também de ambos em relação ao mesmo objeto. Sem o reconhecimento pela palavra, ficaríamos prisioneiros de nossa própria subjetividade.

Sobre isso Hegel já nos falou o suficiente na *Fenomenologia do Espírito*. Restaria para explicar como se dão as *gestalten* no mundo animal, já que estes não estão de posse de palavra. A psicologia e a etologia já nos mostraram de forma clara e convincente que os animais respondem a *gestalten*, a formas, que apresentam inclusive alguma possibilidade de reestruturação. E os animais não possuem a palavra. Por que, então, o mundo não é para eles um fluxo enlouquecido de imagens? A resposta estaria em que o mundo animal, natural, não é caótico, mas possui uma ordem própria, distinta da ordem humanas.[62] Tanto no mundo animal como no mundo físico encontramos formas, estruturas, *gestalten*. A diferença que estas formas apresentariam em relação ao mundo humano residiria no fato de que elas se reduzem ao imaginário animal, a ordem que elas apresentam resulta dos princípios de proximidade, semelhança e fechamento, e não da interveniência do simbólico. Quando muito, encontraríamos no mundo animal um esboço de simbólico, mas que seria abusivo identificarmos com a função simbólica no homem, e nisto não vai nenhum narcisismo da espécie humana. De fato, o animal é capaz de responder a padrões de estímulo bastante complexos, mas estes funcionam como *sinais* e não como *símbolos*. Na ausência do estímulo, o comportamento do animal não ocorre, ou, mesmo na presença do estímulo, um animal não é capaz de transmitir para outro o que aquele sinal significa. No homem, a palavra desprende-se da coisa e faz com que as próprias coisas formem um sistema de signos/significantes que transcende inteiramente a ordem natural. É a função simbólica, especificamente humana, que, rompendo a relação narcisista do imaginário, funda o mundo a que chamamos de "realidade externa".

Como situar, então, o real em psicanálise? O real é sempre suposto. Na medida em que define um campo distinto do simbólico, é o lugar do silêncio. Ao contrário da realidade psíquica que é regida pelo princípio de prazer, o real é, como diz Lacan, "o obstáculo ao princípio de prazer".[63] Situado fora do domínio do simbólico e além do princípio de prazer, o real só pode ser concebido como dessexualizado (o que é sexualizado é o desejo). A razão disto está no fato de que, para Freud, assim como para Lacan, o que sustenta a sexualidade não é o objeto e sim a fantasia, e esta encontra-se necessariamente articulada ao simbólico. Da mesma forma, por estar situado fora do campo do simbólico, o real permanece também fora do circuito que articula dois sujeitos pela palavra, e portanto fora das distorções que a palavra permite. Isto significa que o real está aquém ou além da mentira, do disfarce, das distorções, das máscaras que construímos na tentativa de ocultá-lo. O real é sempre verdadeiro.

Por se situar fora do simbólico, e portanto fora da Ordem e da Lei, não definiria ele o lugar do acaso em psicanálise? Não seria ele o fundo anárquico, natureza primeira de que nos fala Deleuze, "sem fundo além de qualquer fundo (...) feito unicamente de moléculas furiosas e dilacerantes"?[64] E não seria esse também o lugar da pulsão?

Lacan nos diz que "o correlato dialético da estrutura fundamental que faz da palavra de sujeito a sujeito uma palavra que pode enganar é que há também alguma coisa que não engana":[65] *esse algo que não engana é o real.* E também não é para esse algo que não engana que o conceito de pulsão aponta?

O real é uma palavra, assim como a pulsão é uma palavra. Nós os nomeamos mas, em seguida, silenciamos. Este silêncio não é, porém, um silêncio absoluto. Trata-se sobretudo do silêncio conceitual. E esta é talvez a questão maior que a psicanálise nos coloca. Em sua prática e em sua teoria ela nos aponta para o real, mas ao mesmo tempo ela teme o abismo que se segue à borda do universo simbólico. Ao lançar seu olhar por sobre este abismo, o máximo que ela consegue é ampliar os limites do próprio universo conceitual a partir do qual ela fala. A psicanálise, assim como qualquer discurso conceitual, encontra-se na situação de um navegante que quer atingir o horizonte e que nada mais consegue do que ampliar os limites do seu próprio espaço. Perseguindo o real, a psicanálise vê esse horizonte se afastar juntamente com a sua caminhada.

Mas não é assim desde Platão?

Não creio que a situação seja a mesma. O viajante platônico sonhava em chegar a um outro mundo, transcendente ao mundo sensível, habitado por formas puras e dotado de uma ordem absoluta. O real que a psicanálise persegue não é transcendente ao humano, ele está aí presente, fazendo sentir toda a sua força, porém invisível e silencioso. Ele não é estrangeiro, não habita o Topos Uranos, ele é familiar, *Un-heimlich*. Se a palavra não consegue capturá-lo, é pela palavra que ele se insinua.

Essa palavra, tal como a palavra do *aedo* na Grécia arcaica, é portadora dos disfarces, das distorções, do engano, mas é também portadora da *Aletheia*, da verdade. É pela palavra que o real faz sua irrupção na Ordem simbólica, denunciando que essa ordem possui um umbigo, que ele nos remete ao insondável e ao silêncio, para algo que ficou excluído do simbólico. É essa irrupção que marca o lugar do trágico em psicanálise. A radicalização da função simbólica fazendo com que "todo o real seja racional" é a tentativa de "recuperar" esse trágico tornando-o ordem.

# Notas

## 1. Sobre o conceito de pulsão

1. S. Freud, *ESB*, vol.VII, p.171.
2. Ibid.
3. S. Freud, *ESB*, vol.XIV, p.142.
4. S. Freud, *ESB*, vol.VII, p.165.
5. S. Freud, *ESB*, vol.XIV, p.92.
6. S. Freud, *ESB*, vol.VII, p.188, nota.
7. S. Freud, *ESB*, vol.VII, p.186-7.
8. S. Freud, *ESB*, vol.XIV, p.143.
9. S. Freud, *ESB*, vol.XIV, p.142.
10. A.B. Holanda, *Dicionário da língua portuguesa*.

## 2. Pulsão e repetição

1. S. Freud, *ESB*, vol.XII, p.196.
2. S. Freud, *ESB*, vol.VII, p.116.
3. S. Freud, *ESB*, vol.XII, p.197.
4. S. Freud, *ESB*, vol.XVIII, p.300.
5. J. Lacan, *O Seminário*, livro 11, p.36, 136-7.
6. J. Laplanche e J. Pontalis, *Vocabulário da psicanálise*, p.675.
7. S. Freud, *ESB*, vol.XII, p.132-43.
8. S. Freud, *ESB*, vol.XII, p.191-203.
9. S. Freud, *ESB*, vol.XII, p.197.
10. J.-A. Miller, *Cinco conferencias caraqueñas sobre Lacan*, p.92.
11. S. Freud, *ESB*, vol.XVIII, p.300.
12. Ver H.B. Vergote, *Sens et répétition*.
13. S. Freud, *ESB*, vol.XVIII, p.277.
14. S. Freud, *ESB*, vol.XVIII, p.297.
15. S. Freud, *ESB*, vol.XVIII, p.54.
16. S. Freud, *ESB*, vol.XVIII, p.56.
17. S. Freud, *ESB*, vol.XVIII, p.57.
18. S. Freud, *ESB*, vol.XVIII, p.52.

## 3. A Repetição em Hegel, Kierkegaard e Nietzsche

1. Publicada sob o título "Phénoménologie de Hegel e psychanalyse", in *Figures de la pensée philosophique – Écrits de Jean Hyppolite.*
2. Constantino Constantius e Johannes de Silentio foram dois dos vários pseudônimos usados por Kierkegaard.
3. Cf. H.B. Vergote, *Sens et répétition – Essai sur l'ironie kierkegaardienne*, p.452-3.
4. G. Deleuze, "Introduction", in *Différence et répétition.*
5. Op.cit., p.13.
6. Op.cit., p.15.
7. C. Rosset, *Logique du pire.*
8. G. Deleuze, *Nietzsche e a filosofia*, p.9-10.
9. Op.cit., p.30.
10. Op.cit., p.28.
11. Op.cit., p.17.
12. Op.cit., p.71.
13. J.B. Watson, *Psychology from the standpoint of a behaviorist.*
14. W. James, *Principles of psychology*, p.217.
15. J.L. Borges, *Ficções.*
16. Para o que se segue: Borges, op.cit.

## 4. Sobre a noção de causa acidental: tyche e automaton

1. Ver: W. Jaeger, *Paideia, los ideales de la cultura griega*, p.125-6, 666.
2. Tomás de Aquino, *Súmula contra os gentios*, livro 3, cap.74.
3. Aristóteles, *Física*, livro II (cit. por C. Rosset, *Logica de lo peor*, p.102).
4. C. Rosset , op.cit.
5. J. Lacan, *O Seminário*, livro 11, p.54.
6. J. Lacan, op.cit., p.56.
7. J. Lacan, *O Seminário*, livro 2, p.373.
8. J. Lacan, *O Seminário*, livro 7.
9. A. Juranville, *Lacan et la philosophie*, p.84.

## 5. A repetição e as máscaras

1. G. Deleuze, *Différence et répétition.*
2. Op.cit., p.7-8.

3. Ibid.
4. Op.cit.
5. C. Rosset, *Logique du pire.*
6. É verdade que Freud declara jamais ter abandonado totalmente a teoria da sedução e que, de fato, todos nós fomos seduzidos na infância através dos cuidados que nos foram dispensados (ver: "Três ensaios", *ESB*, vol.VII, p.229). O reconhecimento desse fato não faz, porém, com que essa "sedução" seja tomada por Freud como "primeiro termo".
7. G. Deleuze, *Proust y los signos*, p.85-6.
8. G. Deleuze, op.cit., p.86.
9. É preciso levar também em consideração o fato de que Freud não concebe a energia livre apenas em termos de descarga maciça de excitação, mas também como livre circulação ao longo de cadeias de representações implicando laços associativos (ligações). (Ver: Laplanche e Pontalis, *Vocabulário da psicanálise*, p.350.)
10. Laplanche e Pontalis. *Vocabulário da psicanálise*, p. 350.
11. S. Freud, *ESB*, vol.XVIII, p.52.
12. S. Freud, *ESB*, vol.XII, p.90.
13. Desde o *Projeto de 1895*, Freud nos fala de um ego concebido como uma organização interna aos neurônios Ψ, isto é, como uma organização de representantes psíquicos destinada a evitar ou dificultar a descarga de energia. Esta integração de representantes psíquicos é a própria *ligação* a que nos referimos antes, constituinte de formas relativamente estáveis que limitam o livre escoamento das excitações e que são permanentemente investidas de energia pulsional. Este ego do *Projeto* não é idêntico ao ego dos textos posteriores a 1920. À diferença deste outro, ele não tem acesso à realidade (função que é exercida pelos neurônios ω e não pelos neurônios Ψ que formam o ego), não é capaz de distinguir o objeto real do objeto alucinado. Paradoxalmente, ele é uma proteção contra a descarga e, ao mesmo tempo, aquilo que deve ser protegido de sua falta de indicador de realidade (ver a este respeito: L.A. Garcia-Roza, *Freud e o inconsciente*, cap.2).
14. S. Freud, *ESB*, vol.I, (o *Projeto* de 1895).
15. S. Freud, *ESB*, vol.I, p.431-2.
16. S. Freud, *ESB*, vol.XIV, p.93.
17. Embora Freud admita que posteriormente isto ocorra.
18. G. Deleuze, *Différence et répétition*, p.140.
19. S. Freud, *ESB*, vol.XII, p.196.
20. J. Lacan, *O Seminário*, livro 11, p.52.

## 6. Pulsão de morte e pulsão sexual

1. J. Lacan, *O Seminário*, livro 11, p.167.
2. S. Freud, *ESB*, vol.XVIII, p.56.
3. S. Freud, *ESB*, vol.XXI, p.141, 144.
4. Op.cit., p.48.
5. J. Lacan, *O Seminário*, livro 11, p.53.
6. S. Freud, op.cit., p.49.
7. M. Detienne, *Les maîtres de vérité dans la Gréce archaïque*.
8. G. Deleuze, *Lógica do sentido*, p.26.
9. Para a questão dos incorporais no estoicismo, ver: E. Bréhier, *La théorie des incorporels dans l'ancien stoicisme*, e G. Deleuze, op.cit.
10. J. Lacan, *O Seminário*, livro 11, p.55.
11. S. Freud, *ESB*, vol.IV, p.151, 158-9.

## 7. O real e a pulsão de morte

1. S. Freud, *ESB*, vol.XVIII, p.45.
2. E. Rubin, *Synsoplevede Figurer*. Copenhagen, Gyldendalske, 1915. [Ed. ing.: "Figure and Groud", in *Readings in perception*, de Beardslee e Wertheimer.
3. M. Merleau-Ponty, *Fenomenologia da percepção*, p.22. Ver também: E. Rubin, *Visuell wahrgenommene Figurer*; K. Koffka, *Principles of Gestalt psychology*; A. Gurwitsch, *Théorie du champ de la conscience*.
4. S. Freud, *ESB*, vol.XVIII, p.56.
5. S. Freud, op.cit., p.57.

## 8. Morte e pulsão de morte

1. J. Hyppolite, "Comentario hablado sobre la *Verneinung* de Freud", in *Escritos* 2, de J. Lacan.
2. S. Freud, "A negativa", in *ESB*, vol.XIX, p.295-6.
3. S. Freud, op.cit., p.297.
4. J. Hyppolite, op.cit., p.397.
5. S. Freud, *ESB*, vol.XIX, p.299.
6. S. Freud, *ESB*, vol.XIX, p.298.
7. S. Freud, op.cit., p.297.

8. J. Hypolite, op.cit., p.397.
9. S. Freud, *ESB*, vol.XIX, p.297.
10. S. Freud, *ESB*, vol.XIX, p.300.
11. J. Hyppolite, op.cit., p.400.
12. S. Freud, *ESB*, vol.XXIII.
13. S. Freud, *ESB*, vol.XII, p.277-86.
14. R. Dorey, "Réalité de la perte, *réalité de la mort en psychanalyse*", in *Des psychanalystes vous parlent de la mort.*
15. S. Freud, *ESB*, vol.XIX, p.299.
16. S. Freud, *ESB*, vol.XVIII, p.78.

## 9. Mitos cosmogônicos e dualismo pulsional

1. S. Freud, *ESB*, vol.XXII, p.254.
2. F.M. Cornford, *From religion to philosophy*,1912; e *Principium sapientiae: The origins of Greek philosophical thought*,1952.
3. F.M. Cornford, *Principium sapientiae* (trad. port. p.197).
4. G.S. Kirk e J.E. Raven, *Os filósofos pré-socráticos.*
5. S. Freud, *ESB*, vol.XXIII, p.280.
6. F.M. Cornford, op.cit., p.199-200.
7. S. Freud, *ESB*, vol.VI, p.309.
8. Ibid.
9. S. Freud, *ESB*, vol.VI, p.308-9.
10. Esta foi a dúvida levantada por Jean Hyppolite no *Seminário 2* de J. Lacan.
11. J. Hyppolite, "Phénoménologie de Hegel et psychanalyse", in *Figures de la pensée philosophique – Ecrits de Jean Hyppolite.*
12. J. Hyppolite, op.cit., p.213-30.
13. J. Beautret, *O poema de Parmênides.*

## 10. Além

1. J. Lacan, *O Seminário*, livro 2, p.100.
2. Op.cit., p.82.
3. J. Lacan, op.cit., p.88.
4. Na verdade, a concepção energética nunca esteve ausente dos textos freudianos; o que ocorreu na primeira tópica foi uma necessidade de

explicitação da concepção tópica, o que foi feito em detrimento da ênfase sobre os fatores energéticos.

5. O texto utilizado como referência foi a tradução feita por W.L. Chebabi do original alemão *Jenseits des Lustprinzips*. A referida tradução não está publicada, a que disponho é uma cópia datilografada gentilmente cedida pelo Dr. Chebabi.

6. J. Lacan, op.cit., p.106-7.

7. Op.cit., p.92.

8. J. Lacan, op,cit., p.93.

9. Ibid. (Os colchetes e o grifo são meus).

10. G. Deleuze, *Apresentação de Sacher-Masoch*, p.120s.

11. Op.cit., p.32-3.

12. G. Deleuze, op.cit., p.30.

13. G. Deleuze, op.cit., p.32.

14. Ibid.

15. D. Janicaud, "Dialética e substancialidade – sobre a refutação hegeliana do spinozismo", in *Hegel e o pensamento moderno*.

16. D. Janicaud, op.cit.

17. G. Deleuze, *Spinoza*, p.80.

18. B. Spinoza, *Ética*, parte I, 7 e 8.

19. B. Spinoza, *Ética*, parte III, 4.

20. A. Kojéve, *Introduction a la lecture de Hegel*.

21. J. D'Hondt, "Teologia e práxis na lógica de Hegel", in *Hegel e o pensamento moderno*.

22. J. D'Hondt, op.cit., p.30.

23. J. Hyppolite, *Génesis y estrutura de la Fenomenología del Espíritu de Hegel*, p.17.

24. J. Hyppolite, "Comentario hablado sobre la *Verneinung* de Freud", in *Escritos* 2, de J. Lacan.

25. G. Deleuze, op.cit., p.33.

26. S. Freud, *ESB*, vol.XIV, p.203.

27. S. Freud, *ESB*, vol.XVIII, p.84-5.

28. S. Freud, *ESB*, vol.XXI, p.141.

29. S. Freud, *ESB*, vol.XXI, p.144.

30. Ibid.

31. S. Freud, *ESB*, vol.XXI, p.145.

32. G. Deleuze, op.cit.

33. G. Deleuze, op.cit., p. 121.

34. G. Deleuze, *Apresentação de Sacher-Masoch*.

35. G. Deleuze, *Différence et répétition*, p.128-9.

36. Ibid.
37. S. Freud, *ESB*, vol.I, p.399.
38. S. Freud, *ESB*, vol.I, p.428-9.
39. Ibid.
40. S. Freud, op.cit., p.483.
41. S. Freud, op.cit., p.484.
42. S. Freud, op.cit., p.474.
43. J. Lacan, *O Seminário*, livro 2, p.131, 280.
44. J. Lacan, *O Seminário*, livro 20, p.68.
45. S. Freud, *ESB*, vol.V, p.603.
46. J. Lacan, *O Seminário*, livro 2, p.131.
47. J. Lacan, op.cit., p.280.
48. S. Freud, *ESB*, vol.XIX, p.297.
49. J. Lacan, *O Seminário*, livro 2, p.215.
50. Ibid.
51. J. Lacan, op.cit., p.214.
52. J.A. Miller, *Cinco conferencias caraqueñas sobre Lacan*, p.18.
53. J. Hyppolite, "Comentario hablado sobre la *Verneinung* de Freud", in *Escritos 2*, de J. Lacan.
54. S. Freud, *ESB*, vol.XIX, p.300.
55. J. Lacan, *Escritos 2*, p.243, 282.
56. R. Dorey, "Réalité de la perte, *réalité de la mort en psychanalyse*", in *Des psychanalystes vous parlent de la mort.*, p.37.
57. J. Lacan, op.cit., p.245.
58. S. Freud, *ESB*, vol.V, p.651.
59. S. Freud, op.cit., p.658.
60. E. Husserl, *Ideas*, I, Introdução e II, parágrafo 56.
61. J. Lacan, op.cit., p.41-56, 215.
62. Ver a este respeito os experimentos de W. Köhler, K. Koffka e dos psicólogos gestaltistas em geral.
63. J. Lacan, *O Seminário*, livro 11, p.159.
64. G. Deleuze, *Apresentação de Sacher-Mesoch*, p.29.
65. J. Lacan, *O Seminário*, livro 3, p.78.

## *Obras citadas*


Aristóteles. *Física*. Oxford, Oxford University Press, 1924.

Beaufret, J. 'O poema de Parmênides', in *Os pré-socráticos*. São Paulo, Abril, 1978.

Borges, J.L. *Ficções*. Porto Alegre, Globo, 1970.

Bréhier, E. *La théorie des incorporels dans l'ancien stoicisme*. Paris, Vrin, 1970.

Châtelet, F. *Hegel*. Paris, Seuil, 1968.

Cornford, F.M. *Principium sapientiae*. Lisboa, Fund. C. Gulbenkien, 1975.

_______. *From religion to philosophy*. Cambridge, 1912.

_______. *Différence et répétition*. Paris, PUF, 1968.

_______. *Lógica do sentido*. São Paulo, Perspectiva, 1974.

_______. *Spinoza*. Barcelona, Labor, 1974.

_______. *Nietzsche e a filosofia*. Rio de Janeiro, Editora Rio, 1976.

_______. *Apresentação de Sacher-Masoch*. Rio de Janeiro, Taurus, 1983.

_______. *Proust y los signos*. Barcelona, Anagrama, s/d.

Detienne, M. *Les maîtres de vérité dans la Grèce archaïque*. Paris, Maspero, 1967.

D'Hondt, J. "Teologia e práxis na lógica de Hegel", in *Hegel e o pensamento moderno*. Porto Alegre, Rés, 1975.

Dorey, R. "Réalité de la perte, réalité de la mort en psychanalyse", in *Des psychanalystes vous parlent de la mort*. Paris, Tchou, 1979.

Eliade, M. *O mito do eterno retorno*. Lisboa, Edições 70, 1978.

Freud, S. *A interpretação de sonhos*, in *ESB*, vol.IV-V. Rio de Janeiro, Imago, várias eds.

_______. *A psicopatologia da vida cotidiana*, in *ESB*, vol.VI. Rio de Janeiro, Imago, várias eds.

_______. "Três ensaios sobre a sexualidade", in *ESB*, vol.VII. Rio de Janeiro, Imago, várias eds.

_______. "Notas psicanalíticas sobre um relato autobiográfico de um caso de paranoia", in *ESB*, vol.XII. Rio de Janeiro, Imago, várias eds.

_______. "Formulações sobre os dois princípios do funcionamento mental", in *ESB*, vol.XII. Rio de Janeiro, Imago, várias eds.

_______. "A dinâmica da transferência", in *ESB*, vol.XII. Rio de Janeiro, Imago, várias eds.

_______. "Recordar, repetir e elaborar", in *ESB*, vol.XII. Rio de Janeiro, Imago, várias eds.

_______. "Sobre o narcisismo: uma introdução", in *ESB*, vol.XIV. Rio de Janeiro, Imago, várias eds.

_______. "As pulsões e suas vicissitudes", in *ESB*, vol.XIV. Rio de Janeiro, Imago, várias eds.

_______. "Repressão", in *ESB*, vol.XIV. Rio de Janeiro, Imago, várias eds.

_______. "O inconsciente", in *ESB*, vol.XIV. Rio de Janeiro, Imago, várias eds.

_______. "Além do princípio de prazer", in *ESB*, vol.XVIII. Rio de Janeiro, Imago, várias eds.

_______. "Psicologia de grupo e análise do ego", in *ESB*, vol.XVIII. Rio de Janeiro, Imago, várias eds.

_______. "Dois verbetes de enciclopédia", in *ESB*, vol.XVIII. Rio de Janeiro, Imago, várias eds.

_______. "O ego e o id", in *ESB*, vol.XIX. Rio de Janeiro, Imago, várias eds.

_______. "A negativa", in *ESB*, vol.XIX. Rio de Janeiro, Imago, várias eds.

_______. *O futuro de uma ilusão*, in *ESB*, vol.XXI. Rio de Janeiro, Imago, várias eds.

_______. "Dostoiévski e o parricídio" , in *ESB*, vol.XXI. Rio de Janeiro, Imago, várias eds.

_______. *O mal-estar na civilização*, in *ESB*, vol.XXI. Rio de Janeiro, Imago, várias eds.

_______. "Novas conferências introdutórias à psicanálise", in *ESB*, vol. XXII. Rio de Janeiro, Imago, várias eds.

_______. "Por que a guerra?", in *ESB*, vol.XXII. Rio de Janeiro, Imago, várias eds.

_______. "Análise terminável e interminável", in *ESB*, vol.XXIII. Rio de Janeiro, Imago, várias eds.

_______. "Esboço de psicanálise", in *ESB*, vol.XXIII. Rio de Janeiro, Imago, várias eds.

_______. "Projeto para uma psicologia científica", in *ESB*, vol.I. Rio de Janeiro, Imago, várias eds.

_______. "Estratos de documentos dirigidos a Fliess", in *ESB*, vol.I. Rio de Janeiro, Imago, várias eds.

Garcia-Roza, L.A. *Freud e o inconsciente*. Rio de Janeiro, Zahar, 23ª reimp., 2011.

Gurwitsch, A. *Théorie du champ de la conscience*. Bruges, Desclée de Brouwer, 1957.

Hegel, G.W.F. *Fenomenologia del Espíritu*. México, FCE, 1966.

Holanda, A.B. *Dicionário da língua portuguesa*. Rio de Janeiro, Nova Fronteira, 1975.

Husserl, E. *Ideas relativas a una fenomenologia pura y una filosofia fenomenológica*. México, FCE, 1949.

Hyppolite, J. *Génesis y estrutura de la Fenomenología del Espíritu de Hegel*. Barcelona, Península, 1974.

______. "Phénoménologie de Hegel et psychanalyse", in *Figures de la pensée philosophique – Écrits de Jean Hyppolite*. Paris, PUF, 1971.

______. "Comentario hablado sobre la *Verneinung* de Freud", in J. Lacan, *Escritos 2*. México, Siglo XXI, 1975.

Jaeger, W. *Paideia – los ideales de la cultura griega*. México, FCE, 1957.

James, W. *Principles of psychology*. Nova York, 1890.

Janicaud, D. "Dialética e substancialidade – sobre a refutação hegeliana do spinozismo", in *Hegel e o pensamento moderno*. Porto, Rés, 1979.

Juranville, A. *Lacan et la philosophie*. Paris, PUF, 1984.

Kirk, G.S. e J.E. Ravan. *Os filósofos pré-socráticos*. Lisboa, Fund C. Gulbenkien, 1979.

Koffka, K. *Principles of Gestalt psychology*. Nova York, Harcourt, 1935.

Kojève, A. *Introduction à la lecture de Hegel*. Paris, Gallimard, 1947.

Lacan, J. *O Seminário*, livro 1, *Os escritos técnicos de Freud*. Rio de Janeiro, Zahar, 2ª ed., 2009.

______. *O Seminário*, livro 2, *O eu na teoria de Freud e na técnica da psicanálise*. Rio de Janeiro, Zahar, 2ª ed., 2010.

______. *O Seminário*, livro 3, *As psicoses*. Rio de Janeiro, Zahar, 2ª ed., 2010.

______. *O Seminário*, livro 11, *Os quatro conceitos fundamentais da psicanálise*. Rio de Janeiro, Zahar, 2ª ed., 2008.

______. *O Seminário*, livro 20, *Mais, ainda*. Rio de Janeiro, Zahar, 2ª ed., 1985.

______. *O Seminário*, livro 7, *A ética da psicanálise*. Rio de Janeiro, Zahar, 2ª ed., 2008.

______. *Escritos*. México, Siglo XXI, 1975.

Laplanche, J. e J.B. Pontalis. *Vocabulário da psicanálise*. Moraes, Lisboa, 1970.

Merleau-Ponty, M. *Fenomenologia da percepção*. Rio de Janeiro, Freitas Bastos, 1971.

Miller, J.A. *Cinco conferencias caraqueñas sobre Lacan*. Caracas, Ateneo, 1980.

Rosset, C. *Logique du pire*. Paris, PUF, 1971. [Ed. esp.: *Logica de lo peor*. Barcelona, Barral, 1976.]

Raurich, H. *Hegel y la logica de la pasion*. Buenos Aires, Marymar, 1975.

Rubin, E. "Figure and Ground", in Beardslee e Wertheimer, *Readings in perception*. Nova Jersey, Van Nostrand, 1958.

______. Visuell Wahrgenommene *Figuren*. Copenhagen, 1921.

Spinoza. *Ética*. São Paulo, Abril, 1979.

Tomás de Aquino. *Suma contra los gentiles*. Madri, BAC, 1953.

Vergote, H.B. *Sens et répétition: essai sur l'ironie kierkegaardienne*. Paris, Cerf/Orante, 1982.

Watson, J.B. *Psychology from the standpoint of a behaviorist*. Filadélfia, Lippincott, 1919.